HISTORIAS PODEROSAS

LAS 8 HISTORIAS QUE NECESITA
CONTAR PARA PROMOVER
Y HACER CRECER SU NEGOCIO

VALERIE KHOO

TALLER DEL ÉXITO

D0067332

HISTORIAS PODEROSAS

LAS 8 HISTORIAS QUE NECESITA
CONTAR PARA PROMOVER
Y HACER CRECER SU NEGOCIO

Fotografía del autor: Gina Milicia

Publicado por:
Taller del Éxito, Inc.
1669 N.W. 144 Terrace, Suite 210
Sunrise, Florida 33323
Estados Unidos
www.tallerdelexito.com

Editorial dedicada a la difusión de libros y audiolibros de desarrollo y crecimiento personal, liderazgo y motivación.
Diseño de carátula y diagramación: María Alexandra Rodríguez

ISBN 10: 1-607381-77-X
ISBN 13: 978-1-60738-177-8

Printed in the United States of America
Impreso en Estados Unidos

16   17   18   19   20   R|UH   07   06   05   04   03

A Peter, Rex, Rocky, Rambo, Dougal y Groucho

CONTENIDO

Introducción
— 11 —

Todo se basa en la conexión
— 17 —

El viaje empresarial
— 41 —

La historia de su pasión empresarial
— 59 —

La historia de su negocio
— 83 —

Las historias de sus clientes
— 121 —

Su historia promocional
— 145 —

La historia de su producto
— 163 —

Su historia como líder
— 187 —

Su historia para los medios de comunicación
— 207 —

De la narración al intercambio de historias
— 235 —

¿Cuál es su historia?
— 265 —

Conclusión
— 285 —

INTRODUCCIÓN

Historias poderosas, ¿qué son? ¿Por qué las necesitamos? ¿Y qué impacto alcanzan en nuestra vida? Las historias poderosas son aquellas que se narran con el fin de influenciar, inspirar y persuadir. Este libro le muestra cómo aprovechar esa influencia oculta que ellas ejercen, inclusive al punto de marcar la diferencia en cada evento de su vida. Ya sea que usted desee un ascenso laboral, convencer a un cliente de cerrar un negocio o inspirar a un grupo de personas para que ejecuten alguna acción, el uso de la historia adecuada contribuirá a que todos sus planes se cumplan.

Pero ¿qué sucede si usted no es un contador de historias innato o un escritor? ¿Si no es esa clase de persona que en las reuniones mantiene a todos entretenidos con sus chistes o cuentos fantásticos? ¿O si no tiene un repertorio de relatos fascinantes para contar acerca de sus experiencias durante unas cuantas noches de chicas? ¿O si simplemente no cree tener nada interesante para compartir?

Este libro le muestra cómo hacer para seleccionar las historias adecuadas que le ayuden a obtener lo que desea revelándole técnicas sencillas que lo conviertan en un maestro de la narración. Descubra cómo utilizar historias que transformen su negocio, generen oportunidades y, en algunos casos, hasta cambien el mundo.

Entonces ¿por qué contar historias? En la actualidad la narración es a diario una de las herramientas más subestimadas y subutilizadas. Pero esto no siempre fue así. En tiempos antiguos, las historias eran el principal medio de comunicación, se narraban a través de grabados y pinturas rupestres, compartiéndose alrededor del fuego y en reuniones tribales, hasta pasarlas de generación en generación. Ellas explican el mundo a nuestro alrededor y nos ayudan a entenderlo.

Hoy en día, en nuestro hiperconectado mundo en línea, las conexiones a menudo se reducen a tweets de 140 caracteres, a actualizaciones expresivas en Facebook acerca de lo que estamos haciendo, y a declaraciones mediante el uso de un clic sobre lo que nos "gusta" o "disgusta". Es menos probable que nos tomemos el tiempo para compartir historias convincentes cuando es mucho más fácil tan solo dejar escapar una opinión en Twitter, ya sea que se trate de un programa de televisión o del pésimo servicio en algún restaurante de moda.

Estas interacciones instantáneas tienen su lugar y nos hacen sentir conectados, mientras que la narración por lo general se diluye en el momento de la interacción. Es tiempo de recuperar el arte y el poder de la narración. Es vital integrarlo de nuevo en la forma actual de hacer negocios.

La narración es intrínseca a la experiencia humana debido a que estamos programados para entender y contar historias.

Para la mayoría de nosotros, participar en una narración, ya sea de forma pasiva como oyentes, o activa como narradores, es el acto más natural del mundo. Todos nacemos con el gen de la narración, aunque existen personas a quienes se lo suprimieron, y es un músculo en desuso pero aun así continúa presente. Y una vez que usted empiece a ejercitarlo, dicho músculo será más fuerte y poderoso.

Es factible que para muchos la capacidad narrativa haya estado en reposo bajo años de engorde, es decir, bajo el tipo de condicionamiento por el que todos pasamos en el mundo corporativo, en el cual las estadísticas, las hojas de cálculo y las gráficas, han llegado a gobernar la interacción. También es posible que el arte de narrar jamás se le haya despertado, si por ejemplo usted creció en una familia que sencillamente no se comunicaba a través de historias. A lo mejor tal habilidad permaneció escondida bajo la superficie estática de su actividad en las redes sociales, repleta de foros y comentarios de blog. Pero debajo de esa conversación en línea acerca por ejemplo de los ganadores del reality de la noche anterior, están las historias de la vida real que hay para contar. Y una vez que logremos apartar el condicionamiento social al que hemos sido expuestos en la actualidad, encontraremos nuestro instinto natural para empezar a narrar historias.

Saber narrar le sirve para su propio beneficio. Utilice las historias para inspirar a su equipo de trabajo, para persuadir a sus clientes para que realicen sus compras o a los inversionistas de riesgo, para que inviertan. En un mundo de ráfagas de correos electrónicos y de bombardeos de campañas publicitarias de 30 segundos, usted necesita usar el sutil poder de las historias para hacer clientes y construir su propia legión de fanáticos.

Úselas para hacerse notar en medio de una multitud y dejar su huella. Las historias le ayudan a construir su marca personal y a mejorar su perfil. Recuerde que ellas no son solamente acerca de personas, sino también de ideas, causas y productos. Todo lo que se requiere es buscar la mejor forma de narrarlas para que contribuyan a ayudarle a alcanzar sus metas.

En algunas ocasiones usted se abstiene de contar sus historias personales porque cree que la vida que lleva es apacible, cómoda y rutinaria, que parece como un continuo circuito que consiste en limpiar su hogar, alimentar a los hijos, llevarlos a sus prácticas deportivas, recogerlos y darles de comer de nuevo, y por eso siente que las únicas historias que sabe tienen que ver con vómito, rabietas y con la falta que le hace dormir un poco más. De manera similar, si su vida ha caído en la rutina de un largo viaje hasta la oficina, en donde cada día es tan predecible como el anterior, y en realidad no cree tener historias interesantes, usted tiende a sentirse más seguro al esconderse en acontecimientos no trascendentales, como la última visita de Lindsay Lohan a la Corte, o cualquier otro chisme jugoso de Hollywood.

¿Qué ha sucedido con sus historias?

En este libro usted hallará las historias clave que necesita para salir adelante, construir su perfil y crecer en su negocio. No es difícil lograrlo debido a que se trata de una habilidad humana fundamental que mora dentro de usted.

En el capítulo 1, descubra la evolución de la narración, por qué es tan importante en su negocio y cómo hacer para utilizarla para convencer a los accionistas, inspirar a los seguidores y conseguir nuevos clientes. Luego, con el cinturón abrochado, viajaremos al capítulo 2, en el recorrido del empresario. Allí identificará de qué manera este viaje es la base para sus historias poderosas.

En el capítulo 3, identifique su pasión por las historias y aprenda a usarlas con el fin de intrigar a las personas que conoce. La historia de su negocio en el capítulo 4 se convertirá en el punto central de su página web, y de muchos de sus materiales de mercadeo. Es vital hacer este paso bien. En el capítulo 5, descubra una de las historias más poderosas de todas: la de su cliente. Usted sabrá cómo recolectar, identificar y usar todas y cada una de ellas para su propio beneficio.

Si usted está comenzando su negocio, o si tiene un concepto innovador para compartir, aprenda cómo elaborar su historia en el capítulo 6. Vender productos resulta ser todo un desafío, pero aprender a desarrollar una fuerte historia sobre su producto, lo llevará hasta la mitad del camino en el capítulo 7.

Le guste o no, como empresario usted es un líder, dirige personal, clientes e incluso a una legión de fanáticos incondicionales. En el capítulo 8, aprenda cómo su historia de liderazgo sirve para inspirar a otros, y quizás hasta para cambiar el mundo. En el capítulo 9, descubra cómo su historia para los medios de comunicación va a atraer titulares sobre su negocio que contribuirán a construir su perfil en el campo de su industria y en los medios de comunicación.

Después de crear un arsenal de historias, usted va a necesitar compartirlas. Pero ¿qué hace que una historia sea cautivadora? ¿Qué motiva a los demás a compartir sus historias, y a hacer de manera efectiva el mercadeo por usted? Al final, en el capítulo 10, descubra la historia más importante de todas.

Este es el tipo de libros que usted simplemente lee y disfruta, tomando las ideas que más le hayan impactado. Pero además es posible que se le convierta en un manual de trabajo, llevándolo a asegurarse de haber identificado sus 8 historias primordiales para cuando lo haya terminado de leer. Si ese es su propósito, he diseñado un recurso exclusivo de herramientas y plantillas en www.powerstoriesbook.com, disponible tan solo para mis lectores.

Si está listo para liberar al narrador que lleva dentro, prepárese para la magia que está a punto de presenciar. ¡Alístese para contar su historia!

1

Todo se basa en la conexión

Cuando era una niña, al salir de mi jornada escolar solía tomar el tren hasta la biblioteca de Sutherland, ubicada en las afueras de Sídney. Allí esperaba a mi padre hasta que me recogía después del trabajo. Me fascinaba pasar tiempo en la biblioteca. Me encantaría decir que lo ocupaba leyendo enciclopedias debido a mi deseo de ser una científica genio, o devorando clásicos de la Literatura porque deseaba convertirme en una gran escritora. Pero eso sería exagerar. De hecho, no estaba ni siquiera cercana a eso, mi amor por la biblioteca no era tan... intelectual.

Tan pronto pisaba aquel lugar cada día, corría hacia la sección de revistas, en donde había gran cantidad de copias manoseadas de ejemplares, propias para adolescentes. Hablo de las revistas para chicas obsesionadas con las celebridades, chicos, moda, chicos, maquillaje, chicos, estrellas de televisión, ser populares en la escuela y ¿mencioné, chicos? Ese era el cielo para mí.

Mis padres estaban muy orgullosos debido a que suponían que su hija estudiaba bastante para ingresar a Mensa (Asociación Internacional de Superdotados). En realidad, me estaba convirtiendo en una experta acerca de *los aspectos realmente importantes* de la vida, como por ejemplo, qué le gusta desayunar a Bon Jovi, cómo deshacerse de los puntos negros del acné y cuándo está bien usar calentadores. (Nota: Aprendí mucho más en la vida así que la respuesta a la última pregunta es: "Nunca").

No se trataba tan solo de las celebridades, de belleza y moda. También me encantaba leer artículos acerca de personas comunes y corrientes. En esa época las revistas para adolescentes publicaban historias inspiradoras acerca de mujeres jóvenes que sobresalían en deportes, música o en cualquier otro campo, o que estaban en el camino de la recuperación después de batallar contra alguna enfermedad causada por desórdenes en la alimentación. Y, por supuesto, siempre aparecía la historia obligada de la chica del lado que había sido elegida en un centro comercial por un cazatalentos que la encaminó en la ruta para convertirse en una súper modelo internacional.

Mientras imaginaba cuándo me sucedería eso a mí, (si les interesa saber, el cazatalentos jamás me tocó el hombro), las historias acerca de otros lectores eran las que más me atrapaban pues se trataba de otras personas como yo, y jugaron un papel fundamental en ayudarme a entender el mundo a mi alrededor.

Entiéndame, no pretendo decir que fue allí en donde entendí las complejidades del conflicto en el Medio Oriente ni cómo las decisiones del Fondo Monetario Internacional afectaron la economía global durante los años 80s. Pero sí fue allí en donde descubrí la forma en que otras personas ven el mundo y cómo resuelven sus problemas. Eso me hizo preguntarme qué haría yo en una situación similar. Fue a través de estas historias reales que aprendí acerca de amistad, sexualidad, citas, nutrición y mucho más. También me informé sobre otras posibilidades de diferentes carreras para estudiar, más allá de la Contaduría, las Leyes o la Medicina, las únicas tres profesiones que se mencionaban en nuestro hogar.

Como hija única, no tuve ni hermanos ni hermanas para comparar notas, y aunque tenía padres amorosos, no éramos la clase de familia que sostiene grandes conversaciones acerca de asuntos o emociones. Éramos más la familia que se sentaba a ver *El precio es correcto* durante la cena, en lugar de discutir acerca de Política o a contar historias.

A medida que crecía, mis hábitos de lectura pasaron de revistas para adolescentes a toda clase de revistas, desde *Vanity Fair*, y *The New Yorker* hasta el diario australiano *Good Weekend*. Mientras algunas de mis amigas leían minuciosamente las revistas de moda, codiciaban el último bolso de Gucci o Hermes, yo prefería sumergirme en los artículos publicados. No había algo que me gustara más que dejar que los escritores me llevaran en un viaje que me permitiera adentrarme en el mundo de otras personas, en donde aprendía de sus alegrías, dolores, luchas o caprichos. Dos mil palabras más adelante, me sentía un poco más enriquecida al haber conocido sus historias.

Fue entonces que desarrollé mi amor por la palabra escrita y por las historias. Sé bien que sería mucho más romántico y dramático decir que fue Shakespeare, George Orwell o J.D. Salinger quienes encendieron esa pasión en mí. Pero la verdad es que las páginas satinadas de esas revistas alimentaron mi amor por la lectura y la escritura a través de historias reales sobre personas reales.

No me malentienda, amaba ser absorbida por una novela o película. Solía admirar la imaginación de los escritores que eran capaces de crear mundos alternos creíbles como la tierra de Tolkien, o visiones futuristas fascinantes como las de Isaac Asimov, o personajes de proporciones épicas como Gatsby de F. Scott Fitzgerald. Algunos de estos relatos me removieron hasta lo más íntimo. Sí, lloré mientras leía esas últimas páginas de Hamlet, y estaba decidida a luchar contra los prejuicios después de leer *Para matar a un ruiseñor* (*To Kill a Mockingbird*), pero también sentí el anhelo a tomar lecciones de boxeo gracias Rocky Balboa. Estas historias, en libros o películas, surgieron mediante la imaginación de alguien, y no son menos poderosas que las historias reales.

Pero había algo en las historias reales que tenía eco en mí. Si les sucedían a otras personas, también podían sucederme a mí. Así que me parecían infinitamente fascinantes. No es sorprendente que me convirtiera por fin en escritora y periodista. Me encantaba desenterrarlas: descubrir las pasiones, luchas, tropiezos y triunfos en la vida de otras gentes, y amaba escribir acerca de ellas de forma tal que lograran inspirar a los demás, o por lo menos ayudarlos a entender qué era lo que en verdad les sucedía.

La parte que me emociona no es el acto de poner las palabras en una página. No es tener correcta la estructura de una oración, o asegurarme que se usan los adjetivos y sustantivos adecuados para la narración. Esos son apenas algunos de los pasos técnicos necesarios para alcanzar el objetivo final, que en últimas es lograr una conexión, un vínculo con otro ser humano. El objetivo va desde informar, entretener, inspirar, educar o motivar, pero en todo caso, se trata de conectarse con alguien más, justo a través de una historia.

HABÍA UNA VEZ...

Las historias son una parte fundamental de la existencia humana. Han estado presentes desde el comienzo de los tiempos. Mucho antes de que existieran periódicos, enfriadores de agua, libros o blogs, las historias se compartían con sencillez alrededor del fuego, en reuniones tribales o a través de pinturas o grabados en las paredes de las cuevas.

Contar historias es uno de los instintos más naturales que poseemos, y es fundamental para la forma en que nos comunicamos. A través de los siglos, los seres humanos las hemos empleado para explicar fenómenos, transmitir información, registrar un hecho y entender nuestro propio comportamiento y el de los demás.

Los hombres de las cavernas utilizaron imágenes para contar historias de caza. Antes de que la escritura se desarrollara como una herramienta para registrar y comunicar, la narración era la única manera de preservar la Historia de la Humanidad y de asegurar que nuestros rituales y prácticas continuaran a través de generaciones. Los egipcios contaron historias a través de jeroglíficos grabados en las paredes o escritos sobre papiros. En algunas ocasiones, estas historias registraban hechos, aunque no todas las veces.

La gente siempre ha contado historias para explicar lo inexplicable. Por ejemplo ese rugido distante en el cielo que a la larga se convirtió en un "oh, vamos a morir" debido a un estallido sobre nuestra cabeza, pues mucho antes de que nuestros antepasados racionalizaran el concepto de trueno, crearon historias acerca del dios del trueno. ¿Y aquellas llamas amarillas y anaranjadas que nacían cuando se frotaban dos astillas de madera? Bueno, también tuvieron explicación por medio de una deidad mítica que sabía crear fuego. A eso se debe que las supersticiones, tradiciones y rituales a menudo tengan sus orígenes en esta clase de relatos explicativos.

Las historias permanecen a través del tiempo. Se piensa que el poeta griego Homero compuso *La Iliada* y *La Odisea* aproximadamente en el siglo VIII D.C., y hoy en día estas grandes historias épicas aún siguen siendo objeto de estudio. Grandes narradores de historias como Moisés,

Jesús, Mahoma y Buda, ganaron seguidores y fanáticos como resultado de sus historias. Los movimientos religiosos y filosóficos se han expandido por todo el mundo a través de la narración repetida de sus historias. Ya sea que hablen de la búsqueda de redención o salvación, o de sentarse bajo un árbol y esperar iluminación, estas historias funcionan debido a que de alguna manera se conectan con algo latente dentro de nosotros.

Con el surgimiento de la prensa, las historias no se siguieron compartiendo entre pequeños grupos de gente, pues por fin podían extenderse a muchas personas. Los cuentos de hadas de los Hermanos Grimm y de Hans Christian Andersen son conocidos por los niños de todo el mundo, y ejemplifican el poder inefable de las historias, que entre otras cosas, se usan para inspirar o asustar, motivar o manipular, empoderar o dominar.

A través de la Historia la gente ha adoptado el poder de la narración para bien o para mal. La llegada de Adolf Hitler al poder, en parte se le atribuye a su historia, como se narra en su autobiografía y manifiesto político *Mi lucha (Mein Kampf)*. Hitler sabía cómo usar las historias para su propio beneficio, pero también alentaba campañas para quemar libros con el fin de destruir las que contradijeran la suya. Mao Tse-Tung, líder máximo de China, las utilizó tanto para galvanizar, y, al final devastar, una nación. *El libro rojo de Mao*, una selección de citas de sus discursos y escritos, ayudó a comunicar la ideología del partido comunista de China. El británico Winston Churchill, a través de sus rápidos discursos, utilizó historias para traer esperanza e inspiración a un país que enfrentaba las profundidades de la guerra.

En el mundo digital de hoy, las empresas y marcas transmiten sus historias por medio de bites de 30 segundos. Los blogs, las redes sociales y otras plataformas en línea han ampliado el modelo "de uno a muchos" a un modelo potencial "de uno a millones".

¿Por qué la narración de historias es tan poderosa?

Una historia es tan sencilla. Pero en ocasiones las cosas más simples suelen tener un gran impacto. A través de la Historia hemos visto el poder de la narración en acción, pero exactamente, ¿qué parte del proceso de narración inspira o mueve a la gente? Es cuando exploramos esta pregunta que descubrimos por qué las historias llegan a nuestro interior.

Las historias logran o deshacen un negocio con un cliente nuevo. Son decisivas para convencer a un jurado de condenar a alguien o dejarlo en libertad. Son poderosas debido a que contienen información, lógica y análisis en una forma digerible, fácil de contar, de recordar, de entender y por último, fácil de compartir.

Supongamos que estoy cuidando su gato mientras usted sale de vacaciones. Si me dice que le administre un tratamiento contra las pulgas, yo entenderé la instrucción a nivel intelectual. Y puedo hasta recordar hacerlo. Pero si usted inserta esa instrucción dentro de una historia acerca de cómo la última vez olvidó darle el tratamiento contra pulgas a su gato y este adquirió una garrapata y entró en coma, yo recordaré eso, ¡y estaré pendiente de administrarle su tratamiento esta vez! Una instrucción es mucho más poderosa cuando se encuentra ligada a una historia.

Nuestro cerebro absorbe y retiene historias con mayor facilidad que listados de números o resmas de datos. Una historia contiene una serie de hechos y figuras impersonales e inolvidables en un formato con el cual es posible conectarnos y compartirlo con gran facilidad. Es difícil tener a la gente emocionada acerca de listados o viñetas, pero nárreles una historia y estarán más dispuestos a prestar atención. Además, dispuestos a compartirla.

La fortaleza de una historia radica en su sutileza. Las historias pueden ser anécdotas, comentarios, opiniones, crónicas de personas, ideas y lugares. Sin embargo, su poder suele ser de gran alcance, incluso subversivo. Cuando usted cuenta una historia, invita a los oyentes o lectores a sacar sus propias conclusiones. Pero si lo hace bien, logrará modelar cuáles serán esas conclusiones. Las buenas historias son poderosas debido a que nos son opresivas o didácticas. Más bien, motivan o inspiran a otros a sentir y actuar por su propia voluntad.

Una historia es mucho más grande que la suma de sus partes. Contiene información e ideas incrustadas dentro de ella, quizá junto con hechos, imágenes, diálogos y personajes. Si las ponemos juntas, no son apenas una colección de elementos dispares sino que tienen la capacidad para crear un todo con su propia fuerza, momento e influencia.

Entonces ¿qué ha sucedido recientemente con el arte de narración de historias? Aún existe una fuerte cultura de narración en las artes. Las películas son más populares que nunca. Los libros están todavía en demanda, aunque el medio de la lectura se está desplazando hacia una experiencia más digital.

Pero en el mundo de los negocios y en el lugar de trabajo, la historia es diferente...

EL DECLIVE DE LA NARRACIÓN

Imagínese lo siguiente: usted está observando a alguien hacer una presentación en el trabajo. O tal vez se encuentra en una conferencia empresarial dirigida por algunos de sus colegas. El expositor se dirige al atril, saluda al auditorio y comienza con su presentación en Power-Point. Ahora, este escenario sucede de dos maneras. En el primero, el presentador es un buen narrador que sabe cómo utilizar su presentación de diapositivas como una herramienta para potencializar su historia.

Por favor Dios, que así sea.

En el otro escenario, más común, sin embargo, las habilidades innatas de narración del presentador han sido atropelladas por años de condicionamiento empresarial, lo cual quiere decir que su cerebro ha sido lavado y conducido a pensar que las estadísticas, los datos, junto con gráficas y gráficas, atrapan y convencen a su audiencia.

Oh no, otro muerto por PowerPoint. ¿Cuánto tiempo falta para el almuerzo?

Las posibilidades son que usted experimente algo como esto: su colega o jefe, quien por lo general no tiene problemas en divertirlo con sus historias sobre el picnic de la compañía o las tertulias de los viernes en la noche, de repente se convierte en un robot que parece capaz de leer escasamente lo que aparece en la diapositiva.

Palabra – Por – Maldita –Palabra

Y no estamos hablando de unas pocas palabras leídas, él parece haber copiado trozos completos de texto en la diapositiva e insertado una que otra viñeta debido a que, bueno, eso es lo que se debe hacer cuando se hace una presentación, ¿No es así? Hasta dijo: "Sé que ustedes pueden leer esto más tarde pero pensé que también sería bueno ponerles esta información en una diapositiva…".

El hombre es un genio.

Esto va sin duda alguna acompañado con el anuncio de que las diapositivas estarán disponibles en Slideshare o serán enviadas por correo electrónico a los participantes, de manera que no es necesario molestarse en tomar notas del microrrelato que aparece en pantalla.

Estoy tan comprometido en esta presentación, que no quiero esperar a bajar las diapositivas y revivir la experiencia en mi tiempo libre más tarde.

Luego este genio presentador, quien en realidad tiene una historia válida y maravillosa para contar debajo de esa presentación de diapositivas, proyecta una serie de gráficas en la pantalla. Tardó horas trabajando en una hoja de Excel para convertir por fin estos datos crudos en una elegante gráfica con colores que representa varios centros de costos dentro de la compañía extrapolados en un periodo de cinco años. Por si fuera poco, se ha superpuesto

27

una gráfica de barras para comparar estas cifras con los parámetros de la industria.

Creo que necesito gafas. ¿Soy solo yo? ¿Alguien más puede ver lo que está en la pantalla?

El presentador explica: "Sé que no ven en detalle esta gráfica desde donde están...".

¿Por qué se le ocurrió incluir una diapositiva que no podemos...VER?

Y con un clic con el control pasa a la siguiente diapositiva: "Sé que tampoco ven con mucha claridad esta diapositiva, pero pensé en incluirla en todo caso...".

¿Cómo....? Está bien. Voy a enviar un tweet con una foto de la diapositiva para que todo el mundo vea lo ridícula que es.

En este punto el presentador incluye un mapa mental que se supone permite tener una visión de la industria. Es bastante complejo y aparece en una letra con tamaño 6 que requiere visión biónica para leer, por lo cual usted está viendo bizco y sintiendo náuseas tratando de entenderla.

¿Me pregunto si alguien notará si me escapo ahora?

Luego el presentador recita más estadísticas y unos cuantos promedios de la industria (acompañados con unas imágenes cursis) y hace una afirmación (que uno olvida de inmediato) acerca de la importancia de adoptar esta estrategia. Luego cierra con una diapositiva final animando a la audiencia a conectarse con él a través de LinkedIn o Twitter.

¿Así que usted logra aburrirme hasta la locura con 140 caracteres? No lo creo.

¿En dónde está la historia? ¿La pasión? ¿Qué, en medio de este mar de texto y gráficas, se supone que lo conectaría con su audiencia?

No es justo culpar al uso de PowerPoint de todo esto. De hecho, PowerPoint es una herramienta poderosa como ayuda para narrar historias. Pero muy a menudo se utiliza como un soporte con el fin de evitar contar historias. Esto debido a las convenciones a las que hemos estado sometidos, en especial en el mundo de los negocios. Nos han enseñado que los datos son los reyes, que no lograremos tener un negocio útil a menos que contemos con los datos que nos apoyen. Y muchos datos.

Los devoradores de números que tienen que firmar las decisiones estratégicas en las empresas, quieren verlas en blanco o negro, ojalá en hojas de cálculo que se dejen manipular, que estén llenas de datos y se transformen en esas lindas e importantes gráficas, de aquellas que dicen: "Los números hablan por sí solos", cuando en realidad los números apenas sí cuentan la mitad de la historia.

Ellos creen que las cifras y las evidencias numéricas deben tener la última palabra. Cuando se trata de influenciar personas, los datos parecen ser los reyes, pero el as bajo la manga es su historia. Utilice buenos datos en una buena historia y tendrá una combinación poderosa que influenciará el resultado, y en ocasiones, cambiará el mundo.

Las cifras convencen la mente, pero usted necesita una historia de manera que alcance la emoción de las personas y las haga creer en lo que en verdad usted tiene que decir. No son nada más los patéticos presentadores de Power-Point los que están eliminando la narración del sitio de trabajo a favor de las historias de vida. En los últimos años, la explosión de la comunicación en línea también ha hecho mella en nuestra capacidad de contar historias.

Zamatek E350

1.6 GHz; AMD Brazos plataforma

2 GB 1333 MHz DDR3; 2 SODIMM

320 GB SATA (7200 rpm)

Unidad SuperMulti SATA y doble capa de soporte de tecnología Everlight

ATI Odeon HD 6310 (up to 256 MB)

20" panel integrado TFT

8 USB 2.0; 6-in-1 lector de tarjeta de memoria

USB Mouse con cableado óptico; Teclado USB

Interface integrada10/100 BaseT (de banda ancha)

HP inalámbrico NIC 802.11b/g/n mini tarjeta

Si usted es un técnico o un genio de los computadores, lo anterior tiene significado para usted. Pero para el resto de los mortales, esto es algo que jamás llamaremos una lectura fascinante o útil.

CORTO PERO NO TAN DULCE

No solo hemos sido condicionados a adaptar este énfasis en los números, datos e información cuantificable en nuestra vida laboral, sino que nos hemos puesto en sintonía con las comunicaciones breves, con un lenguaje abreviado y lleno de emoticones, remplazando de esa manera las conversaciones significativas. Veamos algunos ejemplos, traducidos según sus siglas en inglés:

OMG: Oh, Dios mío

LOL: Río a carcajadas

ROFL: Doy vueltas en el piso de la risa

Kthxbai: Está bien, gracias, adiós

Thx. IMHO u r incredible. KIT: Gracias, en mi humilde opinión, tú eres increíble. Mantengámonos en contacto

Está bien, puede que usted no use estas abreviaturas muy a menudo, pero deles un vistazo a los mensajes de algunos de los 200 millones de usuarios de Twitter, o del historial del chat de cualquier adolescente, y verá que este tipo de comunicación es la norma, dado que Twitter limita sus mensajes a 140 caracteres. Personalmente, cuando intento condensar un mensaje, para lograr publicarlo, con frecuencia me siento como una tonta incompetente, incapaz de expresarme con el vocabulario de un niño de preescolar. Pero esta es la forma en que en la actualidad multitud de personas se mantienen en contacto.

La reunión alrededor de la fogata, que tanto se disfrutaba antiguamente, quedó remplazada por secuencias enteras de mensajes breves en Twitter o Facebook. Las historias reales disminuyeron y se prefiere el uso de breves intercambios con frases entrecortadas como:

"Este es mi lugar favorito para tomar un café".

"¡Detener la exportación de animales vivos AHORA!".

Los comentarios en Facebook, el cual cuenta con más de 900 millones de usuarios, dejan qué pensar sobre la forma en que nos estamos comunicando. Estos por lo general caen en una de las siguientes categorías:

◊ "¡OMG Taaaaan liiindo!": o una variación de esta expresión, son por lo general la respuesta al video de un gatito quedándose dormido, o al de un pequeño perro labrador jugando con el papel higiénico.

◊ "¡Quiero!": ver punto 1.

◊ "¡Se ve delicioso! Disfruta": es la respuesta común a la foto de alguna cena lista para servir, sin diferenciar si se trata de una zanahoria en trozos o de una torta de caramelo.

◊ "¡Es increíble!": respuesta típica a casi cualquier anuncio, desde un nuevo trabajo hasta una nueva esposa, y a todo lo que sucede alrededor.

◊ "Sí, sucede lo mismo con mi esposo/amiga/hijo/profesor/jefe/mascota": esta es la clase de respuesta ante un comentario lamentando el comportamiento de cualquiera de los anteriores.

Por supuesto, así no son la totalidad de los comentarios, pero estos por el estilo sí son una indicación de la naturaleza corta y superficial de la comunicación actual. El estilo de comunicación abreviado se ha incrementado debido a la explosión de correos electrónicos en nuestros buzones. Cuando se inició el uso del correo electrónico, respondíamos cada uno de ellos, los leíamos todos y sentíamos que toda la comunicación en nuestros buzones era directa, personal e importante.

Claro que esto fue mucho antes de que entendiéramos que no todos los correos eran igual de importantes. Junto con los que nos enviaban amigos y familiares, también comenzaron a llegarnos los de ciertas organizaciones tratando de promocionar sus productos. Tal vez en alguna ocasión usted participó en una competencia para ganarse un iPad o se inscribió para un libro electrónico gratis (y en el proceso registró sus detalles de contacto), o eligió la opción "me gusta" a algún grupo que le pareció interesante en Facebook, y sin querer les dio permiso a estas entidades para enviarle mensajes.

Hace años los empresarios tenían que pensarlo mucho y decidir muy bien antes de embarcarse en una campaña publicitaria. Se requería de una gran inversión para imprimir cartas, catálogos y folletos para luego enviarlos por correo postal. Pero con la llegada del correo electrónico, los especialistas en mercadeo encontraron la opción de enviar miles, o cientos de miles de correos, con un simple clic.

De esa manera nació el mercadeo electrónico. De repente se ha vuelto fácil encontrar que los "amigos" hacen alarde de todo lo que consumen, desde viagra, frutos de acai e incluso vacaciones espectaculares en destinos exóticos. Y desde entonces estamos luchando con bandejas de entrada rebosantes de propaganda.

Capacidad de concentración como la de los peces de colores

Pronto nos volvimos inmunes a esta explosión de correos. Con un dedo listo sobre la tecla suprimir, revisamos la procedencia o el asunto para ver si el destino del mensaje es hacia la papelera de reciclaje o si vale la pena sacar tiempo para leerlo.

Los especialistas en mercadeo saben que ahora cuentan con una ventana plana a través de la cual logran capturar nuestra atención, así que han comprimido historias largas en un breve párrafo acerca de su producto o servicio porque saben que es efímera la atención que obtendrán de parte nuestra. Estos especialistas también cuentan con maestros del internet y diseñadores gráficos respirándoles en el cuello, obligándolos a presentar sus anuncios de manera cautivante.

Los expertos nos dicen que debemos conservar las entradas de blog concisas debido a que nuestra audiencia tiene la atención equivalente a la de un pececito de colores. Así que necesitamos ir al punto. No hay nada malo en ello, es bueno ser breves, pero también es importante contar historias.

Por favor, tenga presente que estas dos formas de comunicar no son mutuamente excluyentes. Usted puede contar historias poderosas en un número limitado de palabras, pero la mayoría de nosotros todavía no ha perfeccionado esa habilidad debido a que en el pasado no tuvo la necesidad de condesar sus experiencias de vida en mensajes tan cortos. Así que no me malentienda. No creo que los mensajes cortos sean malos. De hecho, algunas de las historias más poderosas y mejor contadas han sido cortas. Cuando fue desafiado a contar una historia en tan solo seis palabras, Ernest Hemingway dijo:

"En venta: zapatos bebe. Nunca usados".

Por supuesto, nosotros no tenemos la habilidad narrativa magistral de Hemingway. De manera que con el auge de los correos electrónicos y de otros métodos de comunicación por internet, las empresas han abandonado en gran parte el arte de contar historias, en favor de hacer lanzamientos de mercadeo que sean cortos y audaces a un público cada vez más cansado. Es como la diferencia entre una noche romántica de pasión y un corto encuentro que termina prematuramente. Se acaba antes de que lo notemos.

LA EVOLUCIÓN DEL PERIODISMO

Otro clavo en el ataúd de la narración, o al menos un causante de la falta de uso de la narración de cuentos, ha sido la disminución de las historias largas, o periodismo de investigación.

Hace 20 años, recuerdo saborear artículos de 3.000 palabras en las distintas revistas, cada fin de semana. Ya fuera una publicación sobre un ganador de un Oscar en *Vanity Fair*, o la historia de un empresario exitoso en *Forbes*, yo disfrutaba de esas lecturas. Me gustaba dedicar un tiempo, en el baño o con un vaso de vino en mano, dejando que la historia me atrapara. No eran cuentos concisos que pudiera leer mientras viajaba de pie en un tren lleno de gente o durante las pausas comerciales de televisión. Tampoco eran las historias del tamaño de un bocado, como las que ahora leemos en el último capítulo de la vida de una de las Kardashians.

La realidad es que la reducción de presupuesto en revistas y periódicos en todo el mundo también han suscitado historias más cortas y conteos de palabras en números reducidos. Además, las revistas remplazan textos con imágenes, que después de todo son más atractivas para los clientes. Qué es más diciente: ¿un montón de palabras describiendo a Lady Gaga haciendo señales inapropiadas con sus dedos a sus fanáticos? ¿O una imagen real de ella haciéndolo, además con una ropa alocada y una mueca de desprecio en su rostro?

Es el mensaje, no el medio

Lo grandioso del arte de la narración es que su plataforma es neutral. Ya sea que usted esté contando historias impresas, en películas, a través del internet, en un discurso o en una conversación, la importancia no radica en el medio que utiliza para compartirla, sino en el mensaje. Mi propósito al escribir este libro es enfocarme en el mensaje, y que usted identifique y le dé forma a ocho historias poderosas que necesita saber narrar con mucha propiedad con el fin de crecer en su negocio. Una vez tenga claro de qué se tratan, estas se convertirán en un valioso arsenal al cual recurrir cada vez que las necesite.

Por ejemplo, dependiendo de su objetivo, usted puede acudir a una historia dinámica que le ayude a inspirar a un miembro de su equipo a actuar, o a una historia persuasiva para animar a un cliente a comprar, o a una memorable que lo inspire a elaborar un titular impactante.

De mi parte, yo le ayudaré a tener a la mano esas historias, le contaré sobre cómo los empresarios utilizan la narración para prosperar en sus negocios. Por empresario me refiero al dueño de un negocio, pero también a quien está encargado del manejo de una organización. Usted también puede ser un empresario, alguien que impulsa el cambio y la innovación dentro de una pequeña unidad de negocio en su lugar de trabajo. Si ese es el caso, para usted son estas herramientas. Y siéntase libre de sustituir la palabra "empresario" por el término que más describa su posición o cargo.

Conozca ejemplos de cómo otros empresarios utilizaron sus historias, las cuales usted puede adaptar a sus necesidades y experiencias, teniendo en cuenta que su forma de compartir sus historias es totalmente suya. No se trata de decirle cuál es el medio que debe emplear para enviar su mensaje, ya que mientras algunos aman bloguear, otros prefieren pronunciar discursos magistrales, y otros son adictos a Facebook. Es usted quien debe elegir el medio que le parezca más adecuado, así como el tipo de clientes que desea alcanzar con su historia.

Entonces, ¿exactamente de qué estamos hablando cuando nos referimos a contar historias dentro del contexto laboral? La narración de historias ha recorrido un largo camino desde aquellos días en que se reunía la tribu alrededor del fuego para encantar a todos con cuentos acerca de las últimas aventuras acontecidas entre ellos. Usted no necesita las habilidades cautivadoras de la narración del personaje de María (y la guitarra), en *La novicia rebelde* *(The Sound of Music)*, con el fin de captar a sus oyentes de manera que le sea posible contar su historia desde el principio...

Sin duda, la narración en el cine se basa más en las imágenes, mientras que a través de un orador elocuente, se convierte en un discurso. Pero ambas expresiones se tratan, en esencia, del poder de la narración.

Hoy en día se cuentan historias a través de una amplia variedad de medios, ya sea que se trate de un mensaje sincero en el blog hasta una conversación frente a frente, o incluso a través de folletos impresos, videos en YouTube, artículos de prensa, discursos, y sí, también por medio de los estados en Facebook y en los mensajes en Twitter. Otras toman la forma de una historia mucho más amplia, narrada en un libro entero.

EN ESE CASO, EN CONCRETO... ¿QUÉ ES UNA HISTORIA?

Bien, si yo fuera a hablarle desde el punto de vista académico, lo aburriría con múltiples definiciones de lo que los "expertos" consideran que es una historia.

Es posible establecer las diferencias sutiles entre tales definiciones y pasar todo el día detallando la importancia de cada una. Pero seamos sinceros, su mente estará como ausente. Mientras que las distintas definiciones de "historia" suelen ser importantes para quienes estudian la estructura y la trama narrativa, no hay necesidad de nada más que de un concepto sencillo. Dejemos eso para los académicos. Usted es un empresario. ¡Está ocupado! Desea llegar a la parte crucial del asunto que tiene en mente, el cual es saber utilizar las historias precisas que contribuyan al crecimiento de su negocio.

Cuando hablamos de una historia, hablamos de una serie de eventos verdaderos o ficticios. ¡Simple!

A través de este libro encontrará historias tan largas como una frase o párrafo, así como otras que ocupan páginas enteras. No existe una norma de qué tan largas deban ser las historias, pero si usted desea que sean efectivas, es mejor que sean interesantes y relevantes para su audiencia.

Entre más eco hagan sus historias dentro del público, más recordadas y compartidas serán. Finalmente, ¿no es eso lo que usted desea? Cuando observe a otros compartiendo historias, es porque ellos están aprovechando de verdad el poder de la narración para prosperar en sus negocios.

En el mundo digital no existe duda alguna de que la tecnología ha afectado la forma de narrar historias y comunicarnos. El problema es que en muchos casos la tecnología actual ha desgastado de forma inconsciente nuestra habilidad narrativa. Es hora de recuperarla. Es tiempo de retomar el arte y el poder de la narración. ¿Por qué? Porque va a ayudarle a impulsar su negocio, aumentar sus ganancias y construir una comunidad de fanáticos o clientes entusiastas.

Si usted piensa que no es un narrador innato, no se preocupe. La buena noticia es que no necesita estudiar por 4 años para dominar el arte de la narración. Ese gen está adentro suyo esperando a que lo despierte. Usted nació con esa habilidad. Todos la tenemos.

Utilice historias sencillas, construya su perfil y dé un paso al frente. En los siguientes capítulos, descubra ocho historias poderosas que necesita para lograrlo.

¿Está listo para aprovechar el poder de la narración?

2

El viaje
empresarial

Como empresario, usted va en un viaje que constituye la base de la mayoría de las historias de poder que necesita contar con el fin de hacer crecer su negocio. Durante este viaje, con sus giros, vueltas, fracasos y éxitos, conseguirá intrigar a aquellos a su alrededor, y los va a inspirar a actuar.

Es por eso que los reality shows como *The Amazing Race*, competencias como *El aprendiz*, y programas de talento como *La voz*, mantienen a los espectadores en sintonía una y otra vez. Así usted vea o no estos programas, no se preocupe, millones de personas de todo el mundo sí los ven. Y funcionan debido a que siguen un patrón que está muy ligado a la psiquis humana: el viaje del héroe.

En los reality shows, cada espectador elige su propio héroe, el competidor que desea que gane, y regresa semana tras semana para viajar con él en su recorrido. Este es un principio fundamental de la narración. Es la razón por la cual, lectores de todo el mundo se comprometen con el protagonista en una historia. El protagonista es el personaje principal y, en la mayoría de los casos, es quien conduce la trama.

A través de conflictos, retos y luchas, el protagonista es presionado. Esto aplica tanto a las múltiples misiones de James Bond para salvar el mundo de cierta destrucción, como a la búsqueda de libertad y amor de Elizabeth Bennet en *Orgullo y prejuicio (Pride and Prejudice)*, de Jane Austen, o al viaje de Rocky Balboa en el que pasa de ser el debilucho boxeador a convertirse en el campeón mundial de peso pesado.

El público no se cansaba de las pruebas y triunfos de Rocky. El actor y guionista Sylvester Stallone, creador de la saga *Rocky*, mantuvo a la audiencia comprometida a través de seis películas en un período de 30 años. La audiencia era capturada una y otra vez por la pasión de Rocky por ganar. Pero el elemento esencial que hace de *Rocky*, o de cualquier otra historia, una experiencia tan cautivadora, no es solo el deseo de ganar o de alcanzar la meta. Lo que mantiene a la gente enganchada es el deseo de ver cómo el protagonista supera los obstáculos que aparecen en su camino.

Adicional al viaje físico, las agresivas sesiones de entrenamiento y las brutales peleas que enfrentó Rocky, los espectadores también estaban sumergidos en su lucha interna. Existía un nivel más profundo de conexión que el de solo animar a alguien a ganar un encuentro de boxeo. *Rocky I* se trató acerca de probar que él tenía lo necesario para ser lo suficientemente bueno, en el boxeo, en el amor y en la vida. *Rocky II* se encargó de que el personaje limara asperezas con la vida después de la muerte de su esposa, y de reparar la relación con su hijo. Sí, soy una fanática, ¿se nota?

En conclusión, una historia es convincente cuando logra una conexión emocional con su lector, espectador u oyente. Puede decirse que muchos espectadores de *Rocky* no tienen hoy en día ningún interés en el deporte del boxeo, pero se relacionaron con su pasión, y desearon que él sobrepasara los obstáculos y lo animaron en su búsqueda, tanto interna como externa.

Usted es el héroe de su historia

El viaje del héroe es un término adoptado por el mitólogo estadounidense, escritor y orador, Joseph Campbell. Él lo describe como el típico patrón de un sinnúmero de historias que van desde *Jason y los argonautas en busca del vellocino de oro* hasta el viaje de Luke Skywalker en *Star Wars*. En su libro *El héroe de las mil caras (The Hero With A Thousand Faces)*, Joseph Campbell explica que se trata de la misma historia, solo que contada en versiones infinitas a lo largo de diferentes periodos de tiempo, circunstancias y culturas. Es un patrón que vemos todo el tiempo en escena, en películas y en libros.

Campbell identifica 12 pasos en el viaje del héroe, que se resumen así:

◊ El héroe recibe un llamado a la aventura (o a la búsqueda de pasión).

◊ Encuentra múltiples obstáculos y desafíos a lo largo del camino.

◊ Consigue lo que estaba buscando.

◊ A pesar de esto, enfrenta más tribulaciones.

◊ Al final regresa de la aventura, ya sea transformado o equipado con nuevo conocimiento o visión del mundo.

Los estudiosos de historias, que deseen hacer una disección más completa del viaje del héroe de Campbell, encontrarán los 12 pasos que se requieren para un buen análisis en mi sección de recursos exclusivos en www.powerstoriesbook.com

Recuerde, usted no necesita ser Luke Skywalker ni un antiguo héroe de la mitología griega para hacer este tipo de viaje. Como empresario, usted recorre en este momento una ruta única que contiene todos los elementos para cautivar a las personas a su alrededor, mantenerlas en el límite de sus asientos y llevarlas a apoyar lo que usted está haciendo. Usted está en el viaje del empresario.

De hecho, el viaje del empresario está tan alineado con el viaje del héroe, que en síntesis, son uno solo e idéntico. Vea la tabla 2.1:

Viaje del héroe	Viaje del empresario
Recibe un llamado a la aventura.	Hay una chispa que lo empuja a empezar su negocio.
Enfrenta múltiples obstáculos y desafíos a lo largo del camino.	El espíritu empresarial nunca es un viaje de navegación suave. A menudo está resolviendo problemas: impuestos, empleados, construir su base de clientes, mantener el inventario correcto y demás.
Encuentra lo que estaba buscando.	Toma tiempo, pero por fin ha organizado sus sistemas y puede confiar en un flujo de caja saludable. Lo ha logrado. ¡Su negocio funciona!

A pesar de esto, enfrenta más tribulaciones.	Pero luego enfrenta todo un nuevo conjunto de problemas. Ha pasado de tratar con la clase de problemas que enfrentan las empresas recién inauguradas, a lidiar con los desafíos propios de un negocio en crecimiento. Es posible que su proveedor clave esté en quiebra, que sus clientes no le paguen sus facturas, o que no tenga el inventario suficiente como para satisfacer la demanda.
Luego regresa de la aventura, ya sea transformado o equipado con nuevo conocimiento o visión del mundo.	A pesar de esto, aprende, consolida y presiona. Es más sabio por la experiencia y está mejor equipado para el próximo capítulo de su viaje: llevar a su negocio al próximo nivel.
La continuación	Por supuesto que la vida como empresario continúa, y así como en el viaje del héroe, siempre hay lugar para una próxima aventura.

IDENTIFIQUE SU VIAJE DE EMPRESARIO

¿Se ha tomado el tiempo para hacer el mapa de su viaje empresarial y reflejar los elementos clave para construir su historia? El problema es que la mayoría de empresarios nunca se ha tomado el tiempo para hacerlo. Por el hecho de que usted ha vivido su historia, no significa que sea bueno comunicándola. Puede pensar que es fácil hablar acerca de su propia vida, pasiones o negocios, ¿verdad? Bien, permítame asegurarle que no siempre es así. Como periodista empresarial, he entrevistado a innumerables empresarios, y muchos de ellos no saben cómo contar su historia de manera efectiva.

Claro, un puñado de ellos tiene sus historias listas, pero muchos no. Ni siquiera recuerdan los hechos importantes, como el año de fundación de su negocio o cuándo contrataron a su primer empleado. Divagan. Recuerdan piezas de su historia y al fin comprenden que tienen que ponerlas juntas como un rompecabezas. Esto está bien si usted está hablando con una periodista que sabe cómo juntarlas. Pero cuando está hablando con clientes potenciales, proveedores o socios, necesita que ellos se concentren en su mensaje, más que en tratar de ayudarle a juntar las piezas del rompecabezas de su historia.

ACCIÓN: ESCRIBIR

Tómese el tiempo para escribir su viaje empresarial. A lo mejor le tome media hora, pero créame, es tiempo bien usado. Utilice las categorías de la tabla 2.1 y escriba tanto como desee. Para que le quede más fácil, descargue la plantilla contenida en la sección de recursos exclusivos de la página www.powerstoriesbook.com.

Comience por tomarse una taza de café o una copa de vino y piense en las etapas clave que ha vivido en su viaje hasta la fecha. No importa si lleva 10 semanas o 10 años en el negocio. No escriba puntos sueltos. Llene cada sección como si estuviera contándole la historia a alguien. Como si se tratara de una conversación. Es posible que se gaste media hora, o puede tomarle incluso hasta medio día.

He trabajado con empresarios que han definido este proceso como sencillo, simple, como una forma concisa de articular su viaje. He trabajado con otros que encuentran en todo esto una liberación catártica: por fin lograron darle estructura a una historia que ha estado desorganizada en su cerebro durante un largo periodo de tiempo. Cualquiera que sea su experiencia personal, lo animo a que escriba su historia, y una vez la haya escrito, la vuelva a leer. Retóquela, refínela y edítela hasta que sea clara, concisa y fácil de compartir.

Cuando tenga claridad sobre su propia historia, observará que es mucho más fácil compartirla concisamente con los demás. Si usted espera publicidad o cubrimiento de los medios de comunicación en algún punto, le recomiendo que realice este proceso de manera que tenga una historia sólida y estructurada que transmitirles a los periodistas. Será capaz de aprovechar la parte correcta de su historia cuando sienta que es el momento adecuado en la conversación. Su viaje como empresario es el marco dentro del cual usted construirá sus ocho historias poderosas para impulsar y promover su empresa.

¿No tiene un negocio de un billón de dólares? Quizá se pregunta si tiene una vida de negocios que sea tan interesante como para documentarla en su viaje empresarial. Bueno, tranquilícese. Usted no debe ser Richard Branson ni Donald Trump para sacarle provecho a este ejercicio. Puede tener una vida bien normal, como la mía.

• Mi llamado a la acción

Después de tallar una carrera como periodista y editora trabajando para periódicos y revistas, supe que era tiempo para una nueva aventura, para empezar un negocio. También supe que cualquier negocio que empezara debía estar profundamente alineado con mis pasiones. Después de todo, es la pasión lo que nos sostiene durante las altas horas de la madrugada, cuando estamos arrancando con un negocio. Es la pasión la que nos mantiene en movimiento hacia delante a pesar de los obstáculos y contratiempos, cuando el flujo de caja es demasiado ajustado y la luz parece estar atenuándose al final de un túnel que se ve interminable.

Es la pasión la que sostiene su viaje empresarial.

En mi círculo de amigos, siempre he sido la animadora jefe, apoyándolos a seguir su grandes sueños. En realidad, es muy probable que ellos hayan pensado en algún momento que yo he sido algo así como el jefe acosador, fastidiándolos para alcanzar sus metas. No dudo que algunos de ellos se hayan enfermado por mi constante "aliento". Así me daba cuenta que tenía que canalizar mis energías hacia algún otro lugar, cuando mis amigos no todas las veces apreciaban las sesiones de entrenamiento para la vida que les daba, a pesar del hecho de que estas no eran obligatorias... pero sí muy frecuentes.

Pero también era realista. A pesar de querer ayudar a los demás a alcanzar sus sueños, cualesquiera que fueran, sabía que era poco probable que tuviera que entrenar a alguien para que ganara la medalla de oro olímpica, y tampoco estaba en una posición como para guiar a alguien a escalar el monte Everest en un corto plazo.

Pero había algo que sabía que definitivamente podía hacer: combinar mi habilidad técnica para la escritura con mi pasión por ayudar a la gente a hacer realidad sus sueños. Estaba en la posición perfecta para ayudar a las personas a alcanzar sus metas y aspiraciones en el campo de la escritura. Quería crear un centro para escritores dinámicos que se convirtiera en el mejor de Australia.

• OBSTÁCULOS Y DESAFÍOS

Esta meta parecía muy noble y emocionante, pero en realidad no tenían ni idea de cómo hacer que sucediera. Quiero decir, sabía cómo escribir, no tenía duda de eso. Pero tener la habilidad de escribir no significa tener la habilidad para crear, construir y hacer crecer un negocio de escritura.

Así que tuve que aprender. Rápido.

Cuando abrí por primera vez el Centro de Escritores de Sídney en el año 2005, yo era la única profesora. También era la recepcionista, contadora, jefe de cocina y de lavado de botellas. Hacía todo. No solo enseñaba el primer bloque de clases, era también encargada de mantener el inventario de té y café, de comprar papel higiénico y de resolver cada pregunta que llegara por teléfono o por correo. No es necesario decirlo, pero era agotador.

Además también tuve que ponerme al día con las leyes siempre cambiantes, con los impuestos, los seguros, los flujos de caja, presupuestos y sistemas de gestión de relaciones con los clientes, y aprender a dirigir el tráfico a mi sitio web. Pero a medida que crecían las inscripciones, sabía que estaba llenando un vacío en el mercado. Pronto contraté profesores, empleados, y lo más emocionante de todo, no tuve que encargarme de la compra de papel higiénico nunca más.

• ENCONTRANDO EL PREMIO

Supe que había marcado un hito cuando me ausenté por tres semanas y el negocio continuó funcionando sin mí. No se desmoronó. Estaba asombrada. Los sistemas por los que me esforcé tanto para poner en orden mi empresa, en realidad funcionaban.

Era aún más emocionante cuando recibíamos llamadas telefónicas o correos electrónicos de ex alumnos que querían contarnos sobre los cambios en su vida después de aprender con nosotros. Algunos cambiaron de carrera, otros obtuvieron una publicación en sus revistas favoritas, mientras que otros firmaron negocios de publicación de cuatro libros, y además sus libros fueron traducidos a varios idiomas. Las empresas nos contactaban para inscribir a cientos de personas en nuestros cursos y enviaban a sus nuevos clientes a aprender sobre los fundamentos del negocio de la escritura.

Escritores famosos de todo el mundo visitaron el centro. Estos grupos de personas incluían expertos en negocios, desde Robert Kiyosaki hasta Tim Ferriss, así que yo los bombardeaba con preguntas acerca del asesoramiento empresarial y aprendí sobre las estrategias que están detrás de sus libros más vendidos. Tuve que pellizcarme cuando me di cuenta que el centro realmente se había convertido en todo lo que había soñado.

• ENFRENTANDO MÁS TRIBULACIONES

Cuando su negocio crece, así mismo sucede con el número y variedad de problemas. Sistemas operacionales, informática, infraestructura, contratación de empleados, proveedores que no cumplen, y encontrar el tiempo para tratar con todos ellos.

Después de un tiempo parecía como estar viviendo en *Atrapado en el tiempo (Groundhog Day)*. Tenía planes para la siguiente fase de crecimiento y había diseñado un mapa con las estrategias para lograrlo. Sabía con exactitud los pasos que debía dar y cuándo darlos con el objetivo de llegar allá. Todo lo que debía hacer era implementarlos. Sin embargo, cuando miré hacia adelante, todo lo que vi fue un largo camino con montones de trabajo y pocas sorpresas. Tenía el mapa del camino pero necesitaba correr lo que parecía una maratón para poder llegar a la línea de meta.

Era difícil emocionarse. Entendí que había perdido mi pasión por mi negocio, algo que pensé que jamás sucedería. Me resigné ante el hecho de saber que esto puede pasarles a los empresarios una vez que alcanzan algún nivel de crecimiento. Así que contraté a un gerente general y deserté. ¿Participar solo de lejos? ¿Debía vender? ¿Debía intentar revivir las emociones tempranas empezando algo nuevo? Me dediqué a revisar mis opciones, y cada vez las cosas eran más difíciles. Estaba en una encrucijada y debía tomar una decisión.

• REGRESAR DE LA AVENTURA CON UNA NUEVA VISIÓN

Asistí a una conferencia de negocios en la cual los organizadores dirigieron una sesión que empezó con uno de esos juegos cursis para romper el hielo, en donde usted tiene que interactuar. Lo confieso, odio esos juegos. Y no estaba con ánimo como para chocar manos con la persona sentada a mi lado o compartir con ellos la respuesta a cualquier pregunta necia que el moderador formulara. Ese día la pregunta fue: "¿Cuáles son sus tres mejores planes para su negocio este año? Uuuujuu. ¿Estamos listos para eso? Todo el mundo respondió: "Sí!". Yo estaba cansada, había tenido un extenuante itinerario de viaje y no me sentía con ánimo para hablar acerca de mi negocio con un total extraño que alivianara mi carga laboral o me pusiera de mejor ánimo.

Pero, algunas veces el universo tiene otros planes. Decidí poner mi cara más "amable" y participar en las actividades solo para que pudiéramos salir rápido de ese rompehielos. Estaba sentada al lado de Jo, como lo indicaba su placa. Le conté mis planes para el año y luego le dije: "Me imagino que soy muy afortunada por estar en un momento en el cual mi negocio es sólido. Y solo es necesario implementar la estrategia que he diseñado. Tal vez suene poco realista pensar que no tengo el mismo nivel de emoción que una vez tuve cuando todo era nuevo y brillante. Este sentimiento probablemente les sucede a todos los que han estado en el mundo de los negocios por un tiempo. Supongo que no es posible estar emocionado siempre".

Jo no intentó estar de acuerdo o en desacuerdo con este comentario. En cambio, ella solo me preguntó: "¿Qué era lo que solía emocionarte?". Le respondí: "Me apasiona ayudar a las personas a alcanzar lo que siempre han deseado. Lo que sea. Me emociona cuando la gente alcanza metas que pensaba imposibles. En mi negocio, son sus metas de escritura. La gente obtiene publicaciones, negocios de escritura de libros o recibe un ascenso laboral cuando sus habilidades de escritura mejoran".

Jo preguntó: "¿Y eso todavía sucede en tu negocio después de 6 años?". Le respondí: "Si, realmente sucede más ahora, debido a que atendemos más personas de las que solíamos tener".

Jo no dijo nada más. Tan solo me miró esperando que las palabras fueran asimiladas. Entendí que había estado tan atrapada en la rutina diaria de mi trabajo, tan absorta en la estrategia que tenía implementada, que perdí el contacto con todo lo que me había motivado a entrar al negocio en un comienzo.

En el momento en que me acordé de por qué estaba haciendo esto, sentí que la sensación de pesadez desaparecía, que mi sonrisa regresaba. Pensé en los alumnos que habían obtenido contratos de publicaciones o iniciado nuevas carreras como resultado de haber tomado nuestros cursos y recordé su emoción cuando recibían un salario por su trabajo de escribir.

Entendí que en medio de la rutina de la administración, las operaciones, la implementación y la lista de una milla de largo de "cosas por hacer" que enfrentamos la mayoría de dueños de negocios, debía recordarme a mí misma por qué estaba haciendo todo esto.

La historia que me había contado acerca de sentirme como en *Atrapado en el tiempo* y presionada por un mar ilimitado de desafíos administrativos, tuvo un gran impacto negativo. Pero debía recordar que había otra historia que también tenía que tener en cuenta acerca de las vidas que han sido transformadas por el trabajo que hacemos.

En lugar de apenas hacer una nota mental de esto de vez en cuando, tomé medidas prácticas para asegurarme de que esta verdad permanecería en mi mente todos los días. Comencé un grupo privado en Facebook al que únicamente los graduados de mi centro pueden unirse. Fue una de las mejores cosas que he hecho. Cada día me sumerjo en el grupo para encontrarme con mis estudiantes y compartir historias sobre sus éxitos. Es un recordatorio constante y positivo de por qué hago lo que hago. También se ha convertido un gran "mensaje para escuchar". La observación de los debates en esta comunidad me ayuda a darme cuenta de lo que la gente quiere en términos de nuevos productos y servicios.

La continuación

Bueno, como muchas buenas historias, por supuesto que hay una continuación. Y esta vez involucra a personajes de todo el mundo. Estamos viendo cómo se matriculan estudiantes en nuestros cursos en línea desde Canadá, Estados Unidos, Reino Unido, Asia, Europa, Medio Oriente... de todas partes. Así que la siguiente parte de la historia es acerca de consolidar nuestra posición como uno de los centros principales de escritores en el mundo. Aún tenemos un camino largo por recorrer, y si quiere saber si lo logramos…. entonces manténgase conectado por el resto de la historia.

UNA CHISPA QUE ENCIENDA LA LLAMA DEL FUEGO

Ahora, sé que puede parecerle una larga historia, pero le he contado la versión completa para que tenga alguna idea de mi origen. Cuando conozco a alguien por primera vez, no inicio con un monólogo acerca de la historia de mi vida empresarial desde el primer encuentro porque sé que es demasiada información, así que selecciono y escojo el mejor momento para compartir mis historias.

Usted debe conocer su historia íntimamente para saber cuándo es más efectiva. Tómese el tiempo para documentarla, vale la pena hacer el esfuerzo. Se dará cuenta que necesita aprender a usar diferentes versiones, con diferentes longitudes, en momentos diferentes.

Imagínelas con diferentes niveles de intensidad. Empiece con la chispa de una idea, y si la elabora bien, logrará intrigar tanto a su oyente como para que él inicie su interrogatorio. Una chispa termina en una llama, y su historia crece muy rápido. Y luego, si su oyente o audiencia quieren saber más, la llama se convierte en un fuego.

Comience por avivar ese interés por el cual usted es capaz de ampliar su historia y revelar más acerca de sí mismo. En concreto, usted desea compartir las partes de su historia que sean más relevantes para la persona con la que se está comunicando. Cuanto más usted logre enganchar a su interlocutor, con mayor probabilidad él compartirá su historia con otros, y como un fuego se expandirá de forma natural, sin que usted tenga que trabajar tan duro para que esto suceda.

Si siente resistencia a escribir su viaje empresarial, recuerde que no lo está escribiendo sobre piedra. Usted es el autor. Eso significa que está en todo el derecho de editar su historia, borrando o adicionando eventos cuando sea necesario. Escribirla no significa que debe permanecer atado a narrar esa versión de su viaje para siempre. La clave de este ejercicio es identificar incidentes, puntos de retorno y lecciones que hayan sido parte de su viaje hasta el momento. (Descargue la plantilla cuando desee para hacer el ejercicio una y otra vez hasta que sienta que ya lo tiene listo).

A medida que decide qué eventos o experiencias incluir en cada sección clave de la plantilla, descubrirá los que funcionan y los que no. Su viaje empresarial tiene el potencial de ser una de las aventuras más gratificantes de su vida. Tómese el tiempo para contarlo.

SUS ACCIONES

SU VIAJE EMPRESARIAL

◊ Descargue la plantilla de su viaje empresarial en mi sección de recursos exclusivos en www.powerstoriesbook.com o utilice las categorías listadas en la tabla 2.1.

◊ Registre los eventos clave, puntos de retorno y lecciones para cada sección. Recuerde escribir todo esto desde su propia perspectiva como empresario. No tema llegar a ser personal. Siempre puede editar más adelante.

◊ Una vez haya escrito tanto como recuerde, deje sus notas por una hora o un día. Luego regrese y léalas con mente fresca.

◊ Revise su narrativa desde el comienzo: ¿Qué es irritante? ¿Qué no tiene sentido? ¿Con qué se siente incómodo? Edite su historia para que sea concisa y parezca un "todo".

◊ Guarde esta historia. No tema cambiarla si siente que es posible hacerla más interesante, conmovedora o inspiradora. No significa que deba inventar algo, sino que descubrirá anécdotas y experiencias que hacen eco en la gente, y otras que pasan de largo. Edite correctamente.

El objetivo de este ejercicio es familiarizarse con su propia historia. Es el marco sobre el cual usted construye sus 8 historias poderosas. Entre más claro tenga su viaje de empresario, más fácil será identificar las historias adecuadas que lo harán brillar.

3

La historia de su pasión empresarial

Caminadores. Cuando conocí a la dueña del negocio, Sue Chen, entendí que ella fabricaba caminadores y bastones. Lo confieso: no me emocionó.

Estábamos en un evento mundial para mujeres empresarias en Rio de Janeiro cuando el conferencista invitó a Sue al escenario para que hiciera una presentación improvisada de su negocio. Como nunca he estado interesada en caminadores, ni conozco a nadie a quien le interesen, abrí mi computadora esperando que pareciera que estaba tomando notas pero en realidad comencé a revisar mi correo. Pero no alcancé a navegar mucho en mi buzón de entrada cuando ya me encontraba sumergida en la historia de Sue. No solo logró interesarme un poco en los caminadores, sino que para el final de su corto discurso, ya casi yo deseaba tener uno.

¿Qué fue tan interesante en la historia de Sue? Muy sencillo, su pasión. Esa es la primera historia poderosa que usted necesita tener en su arsenal: la historia de su pasión como empresario.

Con ella le comunica a la gente, desde sus clientes y prospectos hasta sus empleados y proveedores, lo que a usted lo apasiona del negocio.

Esta historia va más allá de explicar sus calificaciones y habilidades técnicas, más allá de títulos como "ingeniero", "quiropráctico", "conocedor de vinos" y "triatleta". Esta es la historia que explica el "por qué" oculto que lo anima a levantarse de la cama cada mañana.

Cuando usted logra identificar y comunicar ese "por qué", su entusiasmo es contagioso, los demás ven esa chispa en sus ojos, notan cuando usted está en realidad apasionado por algo, así como cuando no lo está. Es una emoción que no se puede fingir.

Con un marcado acento californiano, Sue hablaba con pasión acerca de lo que hacía: "Cuando me encuentro con alguien y me pregunta lo que hago, digo: '¡Yo fabrico hermosos bastones y caminadores turbo a la moda!'".

Sue fundó su negocio, Nova, cuando tenía 23 años, justo después de haber recibido su grado universitario. Sin ninguna experiencia en Ciencias o Medicina, ella ideó una compañía para ayudar a su familia. Su abuelo y tres tíos vivieron en Taiwán y dirigieron una empresa fundada en conjunto con su padre, quien emigró hacia los Estados Unidos cuando ella tenía 4 años. Sin embargo él murió de cáncer cuando ella tenía 14. La empresa fabricaba caminadores y bastones para otras compañías del área clínica, pero no comercializaba bajo su propia marca. Entoces su abuelo decidió que debía hacer un cambio y fue ahí cuando el trabajo de Sue lo hizo posible.

"Me siento muy orgullosa de que mi abuelo tuviera fe en mí", decía Sue. "Sobre todo porque él pertenece a una época diferente. Mis tíos no fueron tan listos, ellos querían asociarse con una compañía americana para distribuir nuestros productos". Después de varios intentos frustrados de entablar la sociedad adecuada, el abuelo de Sue abandonó la idea en medio de la desesperación. Ella proseguía: "Mi abuelo tan solo dijo, '¡Olvídenlo, no más socios!', y me miró y me dijo, 'Empieza la compañía'.

"En ese momento no tenía idea, no sabía ni siquiera cómo constituir una empresa", relataba Sue. "Recuerdo asistir a nuestra primera feria y estaba muy abrumada. Esta era dominada por un hombre de mediana edad con traje gris. Pensé: '¿Cómo voy a marcar la diferencia aquí?'. No hicimos ni una sola venta".

Después de este comienzo poco prometedor, Sue empezó a aprender todo lo que pudo acerca del negocio. En 1994 logró obtener $72,000 dólares de ganancia. Para el año 2011 fue mencionada por la revista *Fortune* como una de las 10 mujeres empresarias más poderosas en los Estados Unidos. Su meta era ganar $28 millones en el 2012.

Cuando Sue inició la compañía, vendía los caminadores grises estándar que los demás proveedores ya comercializaban. Estaban por todas partes, y eran horribles. Eran difíciles de mover debido a que para poder avanzar uno debía levantarlo y dar un par de pasos y volver a levantarlo. Tomaba toda la vida atravesar la habitación. Entonces la gente trataba de hacerlos más fáciles de empujar atando pelotas de tenis en la base. ¡Esos caminadores eran horribles!

Entre más tiempo pasaba Sue con los pacientes con problemas de movilidad, mejor entendía lo poco adecuados que eran estos caminadores, no solo en cuanto a funcionalidad, sino también en estilo. Eso es, estilo. "No había innovación en este negocio", afirmó Sue. "Todos estaban fabricando los mismos productos de siempre, incluyendo nosotros. Los mismos caminadores, los mismos bastones".

Sue decidió intentar algo diferente. Con el caminador gris estándar dominando el mercado estadounidense, ella ordenó una carga de caminadores más populares desde Europa. Eran azules equipados con ruedas de manera que fueran más fáciles de empujar, y una silla en caso que el usuario se cansara. "Pensé que era un gran producto, pero nadie lo quería. Intenté, intenté e intenté pero no pude vender ni uno solo". Sue, literalmente, tuvo que regalarlos y empezó ubicándolos en lugares frecuentados por personas con dificultades de movilidad, como centros de rehabilitación y hospitales.

Pronto apareció Yolanda en la vida de Sue. Y fue en ese momento cuando Sue de verdad se apasionó por su negocio. En esa época Yolanda tenía 60 años y no lograba caminar 10 pasos. Había ganado peso, estaba deprimida y era muy difícil lograr que saliera de su casa, y además estaba separada de familiares y amigos. Pero entonces descubrió el nuevo caminador azul, y este le transformó su vida. "Lo recuerdo como si fuera ayer", contaba Sue. "Aquí estaba esa mujer valiente, llena de energía y alegre. Me narró la historia de cómo el caminador había cambiado todo. Hablamos acerca de su vida, sus hijos y nietos. Me señaló hacia su espalda y me dijo, 'Mi trasero solía ser mucho más grande y míreme ahora. Estoy caminando una milla diaria y lo más importante, he perdido 15 kilos. Puedo hacer cualquier cosa como lo hacía antes, y lo mejor es que puedo ser yo misma de nuevo'.

Era una mujer tan dinámica y atrevida, nunca me la hubiera imaginado con el viejo caminador gris arrastrándolo porque no tenía ruedas. Me encantó su actitud, pero fue triste entender que, cuando perdió su movilidad, esa valentía y pasión desaparecieron. Ese fue un punto de giro para mí debido a que entendí que personas como Yolanda, no solo necesitan un caminador funcional, sino uno que además se vea bien. Por lo general la gente elige carros que se adapten a sus gustos y personalidades. ¿Por qué no sucedía los mismo con los caminadores y bastones?".

Sue estaba comprometida con su objetivo. En ese momento, Yolanda no era la única persona que había descubierto los nuevos caminadores. Su idea de donarlos a centros de rehabilitación y hospitales significaba que muchos pacientes se cruzaban con ellos en su camino. El teléfono empezó a timbrar. Con acceso a la fábrica de su familia en Taiwán, Sue empezó a diseñar y a crear caminadores diferentes. Y los diseñó en un amplio rango de colores.

"Fuimos los primeros en hacer esto, después otros fabricantes siguieron nuestro camino, lo cual fue genial ya que ese hecho nos ayudó a mantenernos competitivos. Además, una ventaja de ser una mujer en una industria dominada por hombres, era que yo entendía que las personas querían tener estilo. Observé lo que estaba a la moda, miré el sitio web de Gucci, Coach y Prada. Tomé ideas de lo que estaba de moda, ¿por qué no usar las últimas tendencias en diseño de bolsos como inspiración para las bolsas de nuestros caminadores?".

Además de introducir colores y patrones modernos en caminadores y bastones, Sue también se puso en la terea de escuchar tantas historias de sus usuarios como fueran posibles. ¿La silla es demasiado pequeña? Entonces Sue hacía una silla más grande. ¿No tiene un lugar para colgar el bolso? Adicionaba una canasta. ¿Necesita un soporte para tazas? Hecho. ¿Desea un bolsillo accesible en el lado del marco? Elija uno de estos estilos y patrones. ¿Muy pesado para llevar en el carro? Entonces cambiemos el metal y reduzcamos su peso a la mitad.

"¡Tengo más pasión ahora que cuando inicié!", exclamaba Sue. "He logrado compartir tiempo con estas maravillosas personas. Estar afuera escuchando las historias de mis clientes nos mantiene como una empresa viva e innovadora. Cuando siento que me estoy extinguiendo, lo cual sucede cuando se es un empresario, me recuerdo a mí misma a quién sirvo. Y regreso afuera, salgo de mi oficina, lejos de mi escritorio, de los montones de papeles y la lista interminable de correos que nunca desaparecen, y siempre me encamino de nuevo cuando la gente comparte sus historias acerca de cómo Nova marcó una diferencia en su vida. Luego, ¡boom! Esa pasión regresa y es aún mayor que antes".

¿Porqué es tan importante la pasión?

Enfrentémoslo. En la mayoría de los casos las personas se emocionan cuando hacen tratos con alguien que se siente apasionado. Es contagioso. No hay necesidad de que compartan la misma pasión o intereses, pero si sucede, es una ventaja. A lo mejor no entiendan la idea en la que usted está tan interesado. De hecho, no tienen relación alguna con el objeto de su pasión. Pero se conectan con el hecho de que usted tiene una pasión, algo que enciende su imaginación, que lo hace sonreír y que le da un propósito y una motivación.

Cuando usted comparte su pasión con otros, ellos se identifican con usted porque (a) entienden lo que se siente al estar apasionado por una causa, idea o actividad, o (b) porque desean sentirse como usted. Muchos anhelan ese sentimiento de propósito y dirección, y siempre se relacionan cuando lo reconocen en alguien más. Es una parte fundamental del viaje empresarial. Y es la razón de tener clara esta como una de sus historias poderosas.

En el caso de Sue Chen, no se trata de su viaje construyendo su negocio y transformando su industria, es también acerca de su viaje interno: cómo una mujer de 23 años logró tomar una industria ya establecida, por lo general dirigida por hombres de mediana edad... y triunfar, no solo en la construcción de un negocio exitoso, sino en la transformación de muchas vidas a lo largo del camino.

¿CUÁL ES SU HISTORIA DE SU PASIÓN POR SU NEGOCIO?

Piense en la historia de la pasión que usted siente por su negocio. Cuanto mejor la conozca, mejor va a sonar la próxima vez que la narre. Recuerde, uno rara vez se lanza con un largo recuento acerca de las cosas que lo apasionan con respecto a lo que hace. Empiece con una chispa, con algo que intrigue a quienes lo oyen. Una vez que sus oyentes estén atrapados, la curiosidad se convierte en una llama y entonces usted la puede avivar más detalles acerca de su historia, hasta que se convierta en un fuego.

A continuación 3 estrategias que debe tener listas para iniciar.

LA CHISPA

La clave es encender el interés de la persona con quien está hablando. Usted desea suministrar su información de una manera fácil de digerir, que intrigue lo suficiente como para que otros quieran escuchar más de su historia.

Concéntrese: describa su pasión

Dependiendo de las circunstancias, usted debe analizar si puede hacer esto cuando conoce a alguien por primera vez o cuando tiene poco tiempo para explicar lo que es y lo que hace.

Intente lo siguiente: Yo amo (describa su pasión). Me encanta hacer esto porque (hable de lo que lo emociona y lo que considera como recompensa por esto). Lo mejor es (describa un resultado de lo que usted hace).

Ejemplo: Amo ayudar a la gente a obtener una publicación, a mejorar su escritura o a cambiar su carrera para convertirse en escritor. Me encanta esta labor debido a que no hay nada más gratificante que ver a la gente entender que sí es posible. La mejor parte es cuando mis clientes realmente realizan esos pasos y veo que mi trabajo les ha cambiado su vida.

Tómese unos minutos para escribir su versión ahora.

Entonces, ¿cuál es la diferencia con su argumento de ventas de 10 a 30 segundos de duración acerca de lo que hace y de lo que su negocio se trata? Veremos en detalle su argumento de ventas en el siguiente capítulo. Existe en definitiva una diferencia sutil, pero no le dé muchas vueltas a este asunto, no deseamos entrar en un debate interno acerca de qué discurso va a sacar cada vez que conozca a alguien. Confíe en su instinto y relate cualquiera de las historias poderosas que venga con naturalidad a la conversación que está sosteniendo en el momento.

Si esta interactuando de una manera más formal o en un ambiente empresarial, escoja un argumento de ventas acerca de su negocio. Digamos que se ha encontrado con el gerente financiero de una multinacional importante durante el intermedio de su reunión general anual. Es probable que no sea el mejor momento para compartir su apasionante historia. Pero si se encuentra en un escenario social, digamos en una sesión informal de creación de contactos, sería la perfecta.

LA LLAMA

Ahora es tiempo para que la chispa de nuestra historia se convierta en una llama, Pero cuando aún estamos conociendo a alguien, deseamos una llama lenta y cómoda de manera que la persona no se sienta abrumada con tanta información.

Concéntrese en: ¿cómo ayudar a otros?

Después de captar el interés de los demás, ellos por lo general formulan preguntas de seguimiento, tales como: "¿Cómo lo hace?". Esta es la oportunidad perfecta para convertir esa chispa en una llama.

Intente lo siguiente: "Lo hago (describa brevemente la forma en la que logra los resultados descritos en la "chispa")".

Ejemplo: "Lo hago ofreciendo cursos cortos en diferentes estilos de escritura. Así que si desea escribir una novela, un cuento, un libro de negocios o un comunicado de prensa, descubra con exactitud cómo hacerlo a través de uno de nuestros cursos, los cuales puede tomar por internet o de manera presencial en Sydney Writers' Centre".

La clave es no entrar en mucho detalle. No deseamos que los oyentes sufran de sobrecarga de información. Es por esto que es tan importante refinar su "llama" en una historia corta y concisa. Usted desea despertar el interés de las personas para que sean ellas quienes le pidan más información, y no que blanqueen los ojos de impaciencia ante tantos datos.

El fuego

En este momento usted desea que la llama se convierta en un fuego. Aquí es cuando usted narra otros aspectos de su historia y proporciona una visión real de su negocio, pasiones y vida.

Concéntrese en: la conversación

Una vez que las personas están comprometidas en una conversación más profunda con usted acerca de su historia, es el momento para revelar alguna parte de su viaje empresarial (el cual ya identificó en el capítulo anterior).

Esto puede suceder durante una cena, o ser una pregunta por parte de un aspirante a un cargo a quien usted está entrevistando, o quizás usted está presentando su argumento ante inversionistas y ellos desean saber más de su historia, más que lo que se ve reflejado en las provisiones presupuestarias que les entregó.

De nuevo, no se detenga pensando en qué parte de su historia debe revelar. Tan solo hágalo a medida que la conversación vaya tocando puntos que usted crea que son más relevantes e interesantes para el momento. Como un fuego, su historia se va encendiendo lenta o intensamente. Depende de lo que usted desee revelar cuando sienta que es el momento oportuno, y de retener cuando llegue el tiempo de hablar de algo más. Recurra a diferentes elementos y muestre aspectos variados de su experiencia para adaptarse a las circunstancias.

Por ejemplo, si estoy presentando un discurso acerca de cómo alcanzar los sueños, le conviene escuchar la mayor parte de esa historia. En un intercambio de mensajes entre empresarios en Twitter, puedo dar breves ejemplos de nuestros desafíos y cómo los superamos, o responder al tweet de alguien compartiendo una foto o un enlace para ilustrar lo que me apasiona.

Para saber recurrir a las partes correctas de su historia cuando las necesite, es necesario tener claro cuál es su historia. Es por esto que es importante identificar las diferentes partes de la historia de su pasión por su negocio.

¿No tiene pasión por su negocio?

Si sabe qué es lo que lo apasiona, este ejercicio va a ser muy sencillo. Pero ¿qué sucede si no está muy seguro de lo que lo apasiona acerca de su negocio? ¿Si está luchando para identificar cómo sus pasiones se conectan con su negocio? No se preocupe, con seguridad sus pasiones están ahí, burbujeando debajo de la superficie, pero están cubiertas por capas de… vida, eso es, responsabilidades, hijos, relaciones, estudios, expectativas de otros, y de todo aquello que piensa que debe hacer, en lugar de las cosas que simplemente ama hacer.

La entrenadora de negocios Ali Brown señala que los empresarios en ocasiones "se caen" dentro de sus negocios. Ubicada en Los Ángeles, Ali entrena a propietarios de compañías alrededor del mundo incluyendo Reino Unido, Australia y Asia. Fue nombrada como una de las mujeres empresarias ganadora del premio Ernst & Young en el año 2010, y apareció en el show de televisión de ABC

The Secret Millionaire en el 2011. Ali afirma que a menudo ve cómo la gente empieza los negocios debido a que tienen una habilidad especial, ya sea entrenamiento canino, entrenamiento en ventas o mantenimiento de computadoras. "Cuando se tiene una habilidad especial, es tentador abrir una empresa alrededor de ese talento" dice Ali. "En papel, eso puede tener sentido. Sin embargo, en ocasiones resulta en un negocio por el cual no se siente pasión".

Sin una conexión pasional hacia su negocio, será difícil mantener su entusiasmo por el mismo. Y eso es palpable cuando usted habla con otras personas, ya sean clientes, empleados, inversionistas o proveedores. Así que vale la pena tomar el tiempo para identificar qué es lo que lo apasiona. Para averiguarlo, indica Ali, "Pregúntese a sí mismo: '¿Que amaba hacer cuando tenía 12 años?'". Parece una simple pregunta. Pero le ayudará a llegar al centro de lo que desea identificar.

Cuando yo tenía 12 años, estaba en clase de Historia con la profesora Janet. Se suponía que debía estar estudiando El Renacimiento. Para mi tarea recreé una versión del mundo usando como modelo la revista *Cosmopolitan*. Mucho antes de los días de la autoedición y de las aplicaciones de iPad que diseñan revistas con unos pocos clicks y algunas fotos de Flickr, yo hacía las revistas a la vieja manera, con la máquina de escribir de mi padre (no teníamos computador aún), cortaba fotos (no había Instagram tampoco en esa época), y usaba pegante y grapas. Cada artículo era una historia acerca del Renacimiento al estilo *Cosmo*. Aun en esa época, me encantaba contar historias.

Mi profesora, por otra parte, no lo veía de la misma manera. Me reprobó en la materia. Me dijo que me daba la máxima puntuación por la presentación, pero que el tratamiento de mis historias al estilo de diario sensacionalista no era "apropiado". Por supuesto para mí eso fue en extremo injusto. Pero me encantó el proceso de elaborar una revista aunque debo admitir que mis esfuerzos parecían basura, en secreto esperaba ser capaz de hacer una revista real algún día.

¿Qué lo emocionaba cuando usted era joven? ¿Qué le encantaba hacer en su tiempo libre? Lo qué lo apasionaba cuando no estaba atrapado en un trabajo, hipoteca, hijos y demás responsabilidades. Esto le dará una fuerte indicación de cuáles son sus pasiones verdaderas.

Sé que existen muchas otras técnicas más completas para determinar sus pasiones, como visitar entrenadores de vida o carrera y hacer listas enormes de las actividades que disfruta, sus hobbies, intereses, valores y etc. Y si tiene tiempo para hacerlo, hágalo. Pero estoy de acuerdo con la sugerencia de Ali. La forma rápida es preguntarse a sí mismo: "¿Qué me encantaba hacer cuando tenía 12 años?".

CAVE PROFUNDO - AHÍ ESTÁ

En una ocasión tuve que entrevistar a un número de contadores para una serie que estaba escribiendo en una revista de negocios. Ahora, sé que los contadores han sido por mucho tiempo el blanco de bromas de todo el mundo. Se les describe como aburridos, apagados, nerds con calculadoras en sus bolsillos, esto debido a que el procesamiento de números no pareciera ser la actividad más emocionante del mundo. Pero la historia poderosa vino a mí cuando entrevisté a dos contadores muy diferentes, ambos socios de capital en sus firmas, y tuve que elegir cuál de los dos representaría mi artículo.

Cuando le pregunté al primero (lo llamaremos Bill) por qué se sintió atraído por esa profesión, él dijo:

"Le digo a las personas que no deben estudiar Contabilidad. No sé por qué la gente quiere hacerlo. Cuando conozco a graduados universitarios, esos jóvenes me dicen, 'Soy listo como para ser contador', pero no lo entiendo. Puedo entender a los jóvenes que desean ser neurocirujanos, bomberos o policías, ¿pero contadores? ¿Quién realmente desea serlo?

No tuve una pasión ardiente por estudiar Contaduría cuando comencé. Mi padre era un contador y también mi hermano, así que lo hice porque era lo que ellos hacían. No me arrepiento de eso. Soy bueno en lo que hago, como lo es todo el mundo en mi firma. Nuestros clientes saben que cuando trabajamos en sus proyectos, ellos obtienen una excelente consejería.

Cuando le digo a la gente que no debería estudiar Contabilidad, lo digo con ironía. ¡Pero en realidad me pregunto en secreto por qué cualquier persona joven puede encontrar interesante esta labor!".

Me sorprendió la actitud de Bill. Esta no era una conversación de corazón a corazón con un colega. Él estaba hablándome como el representante de su firma. Yo lo entrevistaba para hacer un artículo acerca de carreras relacionadas con la Contabilidad. Y él lo sabía.

Bill en realidad no se desbordó de pasión por su carrera, y en circunstancias normales, eso está bien. No todos debemos estar burbujeantes de entusiasmo acerca de nuestro trabajo. Pero Bill estaba dejando en el piso a su empresa y a él mismo con su historia. Tal vez pensó que era gracioso. Tal vez solo me estaba diciendo la verdad. Tal vez él no era consciente de que no estaba dejando una impresión positiva. Pero cualquiera que fuera la razón, él comunicó una cierta imagen de sí mismo y de su firma.

Esto estuvo muy lejos de parecerse a mi entrevista con otro contador al que llamaremos Kevin, también socio en la firma que representaba. Cuando le hice la misma pregunta a Kevin, me respondió:

"Me encanta el hecho de ayudar a las personas a tomar decisiones acertadas. No se trata simplemente de números, de reportes de balance y reportes financieros, esas son apenas herramientas técnicas que usamos. El aspecto técnico es satisfactorio como tal, debido a que esa parte del trabajo es estimulante a nivel intelectual. Pero me gusta cómo este trabajo me da la oportunidad de hacer la diferencia en las decisiones que toman mis clientes, y espero que ellos tengan más éxito en sus negocios como resultado de mi intervención.

Como contador público, estoy convencido de que una de las mejores formas de servir a las personas es ayudándolas. Las ayudamos a tomar decisiones más informadas. Las equipamos con información acertada de manera que hagan elecciones sabias. Es la razón por la cual tienen una mejor ganancia. Y es así como nosotros, como país, podemos mejorar en todas las áreas industriales. Después de todo, ¿no es eso lo que debemos estar haciendo? Asegurándonos de que cada generación tenga un mundo mejor para vivir que la anterior".

Kevin hablaba con una pasión auténtica que era palpable, mientras que era evidente que Bill prefería estar en otro lugar. Bill fue a través de las tareas de la profesión e intentó señalar algunos aspectos positivos, pero fue obvio que él no creía en sus propias palabras.

Kevin y Bill. Manzanas y peras (o agua y aceite). La diferencia: una historia apasionante. Kevin había expresado la suya. Bill, no.

Es importante aclarar que Bill no debe tener una historia que demuestre su pasión por lo que hace, y no debe fingir una emoción acerca de su carrera si de verdad no se siente entusiasmado por esta. Pero debe intentar identificar qué es lo que lo emociona. En primer lugar ¿por qué se convirtió en socio de una firma de contadores? Cuando le pregunté qué hace que se levante de su cama en las mañanas y le ayuda a sentirse dispuesto a ir a trabajar, poco a poco Bill empezó a identificar qué lo impulsaba.

Él me dijo: "El área de la Contabilidad que más me agrada es la Contabilidad Forense. Aquí investigamos los aspectos financieros de algunas quejas sobre seguros, fraudes, malversación de fondos y demás. Cada asunto es único. Existe una metodología para hacer nuestro trabajo porque cada caso es diferente, usted debe mirar primero la imagen completa y luego definir cómo va a abordarla. Nunca me aburro. Es como las historias de suspenso que solía leer cuando era más joven. Siempre había un problema por resolver y un villano que derrotar. Nuestros casos son por lo general bastante complejos y desafiantes. Es emocionante. Es como si James Bond conociera *CSI*, excepto que es un contador".

Por último, hablando de su pasión, Bill estuvo un poco más interesado. Esas fueron sus palabras exactas. Había encontrado lo que lo impulsaba en su negocio. El problema está en que la mayoría de las personas no se toma el tiempo para identificar qué es lo que las apasiona y por lo tanto es difícil articularlo. Bill había estado reciclando su historia acerca de ser un contador aburrido cuando su trabajo estaba en realidad lejos de ser aburrido. Él había adquirido la percepción general de que los contadores tienen carreras menos emocionantes en comparación con los neurocirujanos o los bomberos.

Es probable que usted no haya conectado su pasión con su trabajo. A lo mejor ese no sea el vínculo más obvio. Muy a menudo cometemos el error de pensar que debemos parecer apasionados acerca de lo que hacemos o que tenemos, ser entusiastas por lo que hacemos cada día. Pero si esta historia no es auténtica, no deberíamos estar contándola pues no será convincente. La clave está en identificar cuál es su pasión verdadera y luego *determinar cómo encaja con su trabajo o negocio*. Esa es la historia que usted sí debe contar.

Haciendo la diferencia

Fotini Hatzis es una artista de peluquería y maquillaje en Australia. En su salón privado en el centro de la ciudad de Melbourne, ella está rodeada de grandes espejos con marcos dorados y pasa de cliente a cliente con la confianza de una veterana con 26 años de experiencia. Durante ese tiempo su clientela ha evolucionado hasta incluir a algunas de las altas celebridades australianas. También trabaja para clientes privados, quienes le pagan mucho dinero por su consejo. Por lo general son mujeres ejecutivas, con poco tiempo disponible, que tienen dinero para gastar y no quieren ser vistas en el mostrador de maquillajes de una tienda por departamentos local pidiéndole consejo a una vendedora de 16 años que ni siquiera sabe maquillarse a sí misma.

Mientras su clientela puede haber cambiado en las últimas dos décadas, el trabajo que Fotini desempeña actualmente no ha evolucionado tanto. Por supuesto, ella se adapta a las tendencias en cabello y maquillaje, pero seamos sinceros, ¿qué tanta innovación sucede en el mundo de los pinceles, polvos y delineadores de ojos?

Cuando le pregunté qué es lo que le gusta, que es lo que la apasiona de corazón, Fotini no habló de la última pestañina de Givenchy ni de la calidad de las bases de Armani. Ella no se entusiasmó hablando de cómo tener el pelo como el de Beyonce. Ella habló de cómo transformar la confianza de las personas.

"Me encanta cuando veo que he generado una diferencia en la vida de alguien", dijo. "Cuando las mujeres toman talleres conmigo, les pido que traigan su propio maquillaje, así que usamos lo que ellas ya poseen. Cuando se trata de maquillaje, es muy frecuente que tan solo se trata de aplicarlo en la forma correcta. Las personas desean verse naturales y sentirse hermosas. No se trata de qué tan bien usted haga lucir a una persona, sino de qué tan bien la haga sentir.

Algunas mujeres salen transformadas. Se les ve lo felices y seguras que están. Parecer como mujeres de negocios exitosas pero el cambio en su autoestima puede ser enorme y duradero cuando ellas salen más confiadas acerca de su apariencia. Eso es lo que me fascina, cuando sé que he hecho la diferencia".

Eso es lo que inspira a Fotini: hacer la diferencia. Ver a otras mujeres convertirse en personas seguras como resultado de su consejo. Esa es su pasión. No es el maquillaje, los rulos o los peinados elegantes que se hacen con la plancha de pelo GHD, sino el impacto positivo que ejerce sobre otra persona.

Piense acerca de lo que le emociona en la labor que usted hace. ¿Qué logra que salga de su cama todos los días? ¿Es la gente que ve? ¿El desafío de resolver problemas? ¿O el hecho de poder hacer la diferencia en la vida de alguien más? Puede no tener nada que ver con sus habilidades o con las herramientas de su oficio. Es la pasión lo que lo impulsa a hacer lo que hace.

¿POR QUÉ NECESITA COMPARTIR SU HISTORIA DE PASIÓN POR SU NEGOCIO?

Es posible que su pasión sea volar cometas, crear historias, restaurar carros antiguos o cambiar la vida de la gente. Todos somos diferentes. Si su pasión está conectada con el trabajo que usted realiza, es grandioso. Entonces tiene sentido compartir su historia para que la gente entienda qué es lo que lo inspira e impulsa.

A lo mejor piensa que a nadie le interesa sus motivaciones. Es verdad que su historia va a tener eco en personas diferentes, en diferentes niveles y en diferentes grados. Es perfectamente natural. Pero no tema compartirla tan solo porque piensa que hay quienes no van a aceptarla. Quienes usted conoce no saben leer la mente, así que debe ser proactivo compartiendo su historia para atraer a aquellos que quieran ayudarlo a seguir su pasión. Pero ¿cómo van otros a ayudarlo en su viaje si usted no les comparte lo que es importante para usted? Por la misma razón, tampoco insista en contar sobre su pasión hasta impacientar a los demás. Es necesario encontrar el equilibrio adecuado.

Mire, yo soy la mayor fanática de Bon Jovi en el mundo. Lo dije. Es mi pasión secreta. Está bien, no es tan secreta. Hablo con felicidad de esto cada vez que se presenta la oportunidad. No me malentienda, no me pierdo en el coro de *Living on a prayer* durante las reuniones de la junta directiva. Tampoco recito escenas de las películas que ha protagonizado Bon Jovi cuando hablo con el presidente de una compañía. Lo que quiero decir es que sé cómo ser una profesional. Pero Bon Jovi y yo... bueno, nos conocemos desde hace mucho. He sido su aficionada por... *décadas* y no me importa hablar de eso. Soy un cliché andante cuando se trata de mi obsesión por Bon Jovi.

Así que imagínese esto. Estaba sentada frente a mi computador un día, en las profundidades de un proyecto corporativo de escritura para el cliente de una compañía de seguros, cuando aparece un mensaje en mi bandeja de entrada: *¿Puedes entrevistar a Bon Jovi para nosotros la próxima semana? Es necesario que acompañes a la banda* *por un día y obtengas asientos VIP de manera que observes el concierto desde un primer plano.*

Parpadeé y miré la pantalla. Debía estar alucinando. O tal vez estaba delirando. Parpadeé de nuevo y leí el correo l-e-n-t-a-m-e-n-t-e por si de pronto estaba sufriendo alguna clase de dislexia. En ese momento mi corazón latía tan rápido que pensé que iba a morir.

Obviamente, acepté. Y sí, me uní a la banda, hablé largo y tendido con mi ídolo y lo seguí todo un día. Como bono adicional, tuve que bailar en el escenario frente a una multitud de 50.000 aficionados en el estadio.

Pero ¿por qué se me pidió escribir acerca de una de las bandas más importantes del mundo cuando hay cualquier cantidad de reporteros de entretenimiento que podían hacer el trabajo? Muy simple, pasión. La editora que me encargó la historia sabía que yo soy una aficionada a él, que tenía habilidades para escribir, y asumió sin temor a equivocarse que yo tenía una gran cantidad de información de antecedentes y experiencia en un concierto previo a los que podía recurrir. Lo más importante, ella confiaba en que haría un trabajo profesional y no me transformaría en una adolescente cuando conociera a mi ídolo. (Sí tuve la tentación pero no me rendí ante ella).

El punto es, nunca me hubieran pedido que hiciera la entrevista si con anterioridad yo no hubiera transmitido mi pasión.

Use su historia de pasión por su negocio y compártala con otros. Cuando lo hace, ellos ven que usted está poniendo algo adicional sobre la mesa. Está aportando algo más que sus habilidades técnicas, está aportando una osadía que puede hacer la diferencia.

Ya sea que aluda a ella en sus tweets o en sus mensajes de blog o en un discurso, el hecho de compartir su pasión le ayudará a hacer toda la conexión emocional importante con los demás.

La historia de su pasión laboral está a menudo vinculada de forma intrínseca al llamado a la aventura en su viaje empresarial. Cuando permite que otras personas compartan su viaje empresarial, no solo las empodera para que le ayuden a seguir sus pasiones, sino que abre la puerta a oportunidades que alguna vez parecieron fuera de su alcance.

SUS ACCIONES

LA HISTORIA DE SU PASIÓN EMPRESARIAL

Sírvase una copa de vino o una taza de café, tome su libreta de notas y aléjese del computador. No debe distraerse con correos, tweets ni eventos en su lista de "pendientes". Usted debe cavar profundo y pensar qué es lo que lo apasiona de corazón pues ese será el núcleo de su historia de pasión empresarial.

Siga estos pasos o descargue la plantilla para su historia de pasión empresarial en la sección exclusiva de recursos en www.powerstoriesbook.com.

◊ Escriba qué es lo que en realidad lo apasiona y cómo eso impulsa su negocio.

◊ Explique cómo esta pasión ayuda a otros.

◊ Si no se siente apasionado por su negocio, pregúntese, ¿qué me gustaba hacer cuando tenía 12 años de edad? Luego conecte esa pasión con lo que hace en la actualidad.

◊ Identifique situaciones, en la vida real o en internet, en las que tenga la oportunidad de compartir su historia de pasión empresarial.

4

La historia de su negocio

Pollo. Parece que siempre ofrecen pollo en eventos de ampliación de contactos. Es la elección que menos ofende el paladar de las personas. Brindan pollo asado, pollo al vino, o si es en un lugar más elegante, sirven pollo relleno con queso feta y espinaca, enrollado en prosciutto. Pero si hay algo tan seguro como comer pollo en un evento de aplicación de contactos, es escuchar un montón de argumentos de venta increíblemente fáciles de olvidar, y que arruinan la reputación que un dueño de empresa ha trabajado tanto para construir. No permita que el suyo sea uno de esos casos.

Claro está que algunas personas tienen sus argumentos de venta como una obra fina de arte, pero estoy sorprendida ante el número de empresarios que han meditado poco o nada acerca de cómo explicar lo que hacen. Es por esto que es tan importante sacar tiempo para diseñar otra importante historia poderosa: la historia de su negocio.

Es muy diferente a la historia de su pasión laboral, la cual está basada en su emoción. La historia de su negocio se basa más en hechos tangibles, pero sin embargo usted necesita narrarla de una forma comprometedora e interesante para que haga eco en las personas, de la misma manera que ocurre con su historia de pasión laboral.

Es muy simple, la historia de su negocio dibuja una clara imagen de lo que se trata su negocio. La palabra clave aquí es "clara". Muy a menudo, veo empresarios encubrirla con capas de información que solo menoscaban el mensaje central.

No hace mucho tiempo estaba en una cena de creación de redes en donde todo el mundo se levantó y se presentó en frente a los demás. Una mujer (a quien llamaremos Laura) se puso de pie y dijo:

"Hola, mi nombre es Laura. Soy entrenadora de negocios y trabajo con propietarios de pequeñas empresas y personas independientes. Hago parte de una red mundial de más de 1.100 entrenadores certificados en 67 países alrededor del mundo. Compartimos recursos y acabo de regresar de nuestra conferencia internacional en Paris".

Mientras ella hablaba, yo podía ver a la gente blanqueando los ojos en señal de impaciencia, a medida que su atención se esfumaba. En pocas palabras, el pollo estaba más agradable que esa presentación.

Laura lo hizo todo mal. Si sus clientes son dueños de pequeños negocios, es muy poco probable que ellos deseen aprovechar los recursos proporcionados por los otros 1.100 entrenadores certificados de su red. Y a ellos poco les interesa si ella va a una conferencia en Paris, Ginebra o Hong Kong. Ellos estarán más satisfechos con una empresa de entrenamiento local que esté emocionada por invertir tiempo para conocer sus necesidades específicas.

Jactarse de pertenecer a una red mundial suele ser útil si usted representa a una empresa de mensajería internacional. O si desea atraer clientes que tienen sus oficinas alrededor del mundo y necesitan apoyo de un proveedor que les pueda dar cubrimiento. Pero el argumento de Laura no hizo eco en muchas de las personas en el salón.

¿Qué hacer para mejorar su historia? Eso depende de su especialidad, pero la siguiente forma es más adecuada:

"Hola me llamo Laura. Estoy en el negocio de entrenamiento en negocios y ayudo a los dueños de pequeñas empresas y a personas independientes a mejorar su rentabilidad, a ganar más clientes y a reducir el tiempo que necesitan gastar en su negocio".

SU ARGUMENTO EN 10 SEGUNDOS

Su argumento en 10 segundos explica quién es usted y se narra en el tiempo que se gasta un recorrido en ascensor.

Concéntrese en: quién y qué

Imagínese esto: se encuentra con alguien en el ascensor, le explica lo que hace y luego se tiene que bajar porque ha llegado a su piso. Es probable que no vuelva a ver a esa persona de nuevo, pero usted desea que su mensaje perdure, así que debe *hacer que cada palabra valga la pena*.

Su objetivo es llamar la atención de quien lo escucha, lo suficiente como para que su oyente desee bajarse con usted del ascensor y saber más acerca de su oficio. Aunque parece que un argumento rápido se trata solamente de usted, el hecho es que los argumentos más listos son los que están enfocados en aquellos a quienes usted está en la capacidad de ayudar.

Así que ¿cuál es su argumento de ventas en 10 segundos? ¿Qué historia les narra a quienes conoce? ¿Se ha encontrado con excusas amables como "Voy a buscar una bebida"? ¿O tiene la habilidad de intrigar a otros lo suficiente para que le digan, "Cuénteme más"? Si aún no ha elaborado su argumento de ventas, tómese el tiempo para escribirlo ahora.

Este esquema le ayudará:

Mi nombre es (inserte su nombre), Yo dirijo/yo soy (inserte la clase de negocio que maneja o explique su experiencia). Ayudo (explica a la clase de cliente que ayuda).

Ejemplo:

Mi nombre es Valerie Khoo. Dirijo un centro australiano de cursos de escritura. Ayudamos a todos aquellos que quieren publicar sus libros y escribir con confianza.

Mi argumento es corto y directo. Cuando usted acaba de conocer a alguien en un evento o en una conferencia, no empiece a hablarle de la historia de su vida. Usted no quiere ser la persona en eventos de redes que cuenta con la reputación de narrar historias egoístas y de larga duración. No bombardee con su experiencia laboral. Capture la atención de los demás con información clave de forma que la gente quiera descubrir más acerca de usted.

Pero esto no termina ahí. El objetivo es generar suficiente interés en los demás para convertir esa chispa inicial en una llama. Eso nos lleva a...

Su argumento en 30 segundos

En su argumento en 10 segundos, se enfoca en lo básico: quién es y qué hace. Si ha hecho un buen trabajo, entonces escuchará las palabras mágicas: "Cuénteme más", o "¿Cómo lo hace?", así que necesita tener la siguiente explicación lista para usar. En la versión de 30 segundos, usted puede adicionar a su argumento básico la explicación de "cómo" ayuda a los demás.

Concéntrese en: Cómo

Usted debe haber identificado su argumento del "cómo" en el capítulo anterior, así que use esa misma construcción. Si no, hágalo ahora.

Intente lo siguiente: brevemente describa cómo su negocio ayuda a los demás:

Ejemplo: Hacemos esto ofreciendo cursos cortos de diferentes estilos de escritura. De modo que si desea escribir una novela, un guion, un libro de negocios, o un comunicado de prensa, descubra cómo hacerlo correctamente a través de uno de nuestros cursos, los cuales pueden tomarse por internet o de manera presencial.

Note el uso de "yo" o "nosotros" en este argumento. A menudo son intercambiables. Si estoy hablando de mi negocio, lo más probable es que use "nosotros". Si estoy hablando de mi pasión personal, usaré "yo".

Cuando se siente confiado con su discurso y su mensaje sea claro y conciso, usted generará una buena impresión. Aun si las personas no necesitan sus servicios en el momento, usted desea que lo recuerden para cuando estén listas para comprar su producto, o referirlo.

Aquí le presento un ejemplo de un discurso que funciona. Asistí a otro evento que tenía la misma tradición de hacer que todo el mundo se levante y se presente en frente de todo el salón, entonces una mujer se levantó y dijo:

"Hola, mi nombre es Patricia. Dirijo una compañía de derecho de familia y generalmente ayudo a personas que están enfrentando un divorcio. Es un momento difícil en la vida de cualquiera y yo ayudo a mis clientes cuando a menudo están emocionales, estresados y agotados. Mis clientes son casi siempre mujeres, y en particular, me aseguro de que sus conyugues no estén ocultando bienes o tratando de evitar un arreglo justo. Peleo por mis clientes. No permito que pasen por encima de mí. No me rindo. Espero en realidad que ustedes nunca tengan que usar mis servicios, pero, si lo hacen, me querrán de su lado".

Patricia tenía confianza y fue directa, además se aseguró de tener contacto visual con tantas personas como le fue posible dentro del salón. Comparado con el discurso impreciso de Laura, quien se enfocó menos en cómo ayudar a los demás que en números irrelevantes y en destinos para conferencias, Patricia afinó el suyo.

Veamos el patrón de Patricia:

Mi nombre es (Escriba su nombre)	Hola mi nombre es Patricia.
Yo dirijo / Yo soy (Escriba el negocio)	Dirijo una compañía de derecho de familia.
Yo ayudo (Explique cómo ayuda a los demás)	Generalmente ayudo a personas que están enfrentando un divorcio. Es un momento difícil en la vida de cualquiera y yo ayudo a mis clientes cuando a menudo están emocionales, estresados y agotados. Mis clientes son casi siempre mujeres.

| Lo hago así (Brevemente explique cómo su trabajo ayuda a la gente) | En particular, me aseguro de que sus conyugues no estén ocultando bienes ni tratando de evitar un arreglo justo. Peleo por mis clientes. No permito que pasen por encima de mí. No me rindo. Espero en realidad que ustedes nunca tengan que usar mis servicios, pero, si lo hacen, me querrán de su lado. |

No necesita ser tan rudo como Patricia en su argumento, pero sí debe ser directo.

Por supuesto, su argumento no es el único lugar para narrar la historia de su negocio. Usted puede publicar una versión de esta en su página web y en materiales publicitarios como folletos o volantes. Puede también incluir una versión en su perfil de redes sociales. Si utiliza una red social para propósitos empresariales, recuerde que su perfil es uno de los elementos clave para ayudar a la gente a decidir si lo "siguen" o no. A pesar de que no está mal incluir en su perfil observaciones extravagantes como "amo el vino tinto" o "a menudo me entrego al chocolate y whisky", usted también necesita asegurarse de tener suficiente información en el perfil, de manera que la gente entienda quién es usted y qué hace.

Llegue al punto

El mayor error que he visto en empresarios cuando narran las historias de sus negocios es que se demoran demasiado en llegar al punto. En el mundo acelerado de hoy, la gente es bombardeada por mensajes, publicidad, correos, mercadeo, señales, cuñas publicitarias, comerciales, y una lista interminable de información. Es probable que cuando sean confrontados con la historia que usted cuenta, (en cualquier forma), no estén con el ánimo de tomarla como si fuera una aterciopelada copa de merlot. Es poco probable que ellos apaguen la televisión y salgan de sus correos para saborear las palabras de su sitio web. Con seguridad no son tan receptivos de su historia como lo son de su novela favorita. Y además están ocupados, haciendo malabares con diferentes tareas, alternándose entre diferentes pantallas y pensando en lo que queda pendiente para el día siguiente. Así que es importante llegar al punto.

En una ocasión visité una página web de una empresa que fabrica sillas para oficina amigables con el planeta. El negocio era pionero en la industria pero los propietarios tuvieron dificultades para convencer a otras empresas de preocuparse por el medio ambiente tanto como ellos. Pronto me di cuenta de por qué.

Como periodista, entrevisté a los propietarios (los llamaremos Dave y Melanie) e investigué sobre la compañía. Cuando visité la página web, estas eran las únicas palabras en la portada de su sitio:

Viviendo verde

Comprometidos con las decisiones ambientales para que sus hijos tengan futuro.

"En febrero de 2005 los "verdes" se tomaron Australia como un tornado. De acuerdo con *El Diccionario Macquarie (Macquarie Dictionary)*, el término "verdes" (en inglés greenwashing) se refiere a "campañas publicitarias engañosas diseñadas para hacer parecer a la compañía como una empresa comprometida con el medio ambiente". Las empresas empezaron a reciclar. Afirmaban usar productos "naturales" y le comunicaron a sus consumidores que tenían cero emisiones de carbono. Afirmaban que cumplían con los estándares verdes, pero estas directrices fueron complicadas y las normas, difíciles de aplicar.

Queríamos asegurarnos de proporcionar un proceso de fabricación transparente para mostrar de la cuna a la tumba la administración de los productos. Queríamos "cerrar el círculo", y así empezamos en el camino de garantizar que todos nuestros productos en realidad podrían llamarse "verdes". Estamos comprometidos con la certificación ambiental completa".

¿Verdad? ¿Qué sucede con alguna información acerca de lo que la empresa hace actualmente? Empecé a dudar si ellos eran fabricantes de sillas o un grupo colectivo de intereses comunes. Después de entrevistar a Dave y a Melanie, fue obvio que están apasionados por el medio ambiente. Habían aplicado pruebas rigurosas y habían realizado cambios significativos en su negocio con el fin de cumplir con los diversos programas de certificación ecológica bien reconocidos.

Pero no sabían cómo comunicar la historia de su negocio. Ellos podían haber publicado un mensaje así de simple:

"Fabricamos y personalizamos sillas para oficina amigables con el medio ambiente. Le ayudaremos a minimizar el impacto ambiental con soluciones accesibles en un amplio rango de colores y materiales".

Dave y Melanie explicaron que deseaban dejar claro a los clientes que ellos en verdad son serios acerca de sus credenciales ambientales. No querían ser reconocidos como una empresa "verde" ni engañar a nadie. Sin embargo, el publicar una definición de "verde" como su principal mensaje en su sitio web solo sirvió para confundir a la gente. Ellos debieron publicar su compromiso con el ambiente a través de su historia, describiendo por qué les apasiona el medio ambiente, explicando cómo motivaron a sus empleados a seguirlos, mostrando cómo giran los negocios de una empresa que pasa de la fabricación de sillas normales a una que ahora proporciona solo sillas ecológicas.

En cambio, todo el sitio web estaba lleno de jerga ambiental, de acrónimos, referencias a organizaciones que la mayoría de las personas nunca había escuchado, y no existía ni una sola mención acerca de Dave y Melanie. En cambio la palabra "nosotros" se utiliza en todo momento:

◊ "Nosotros estamos comprometidos con la calidad...".

◊ "Nosotros seleccionamos socios con el más alto potencial de cambio...".

◊ "Nosotros contratamos los servicios de EOAL para examinar todas las telas buscando emisiones de carbono...".

No tienen nada de malo usar la palabra "nosotros". El error es que el papel de Dave y Melanie en la organización, como propietarios, fundadores y líderes activos, no recibió ni una sola mención. Ellos eran invisibles. En algunas ocasiones he escuchado a propietarios de empresas decir: "Pero no se trata de mí. Es acerca del equipo. No quiero mencionar nombres individuales. Deseo que reconozcan que es esfuerzo de equipo". Cuando escucho esto, lo niego con mi cabeza. Por favor. Seamos reales y unámonos a la economía de la confianza. La gente quiere saber que existe un capitán del barco. Los clientes desean saber que existe gente real en la cual confiar detrás de las decisiones de la compañía, en especial en empresas nuevas o de tamaño pequeño a mediano. Ellos se sienten tranquilos cuando saben que no están negociando con una compañía sin rostro.

Cuando Dave y Melanie eligieron no aparecer en su propia historia, desperdiciaron la oportunidad de construir confianza y credibilidad entre su audiencia. ¿A quién estaría más dispuesto a creerle, a dos personas hablando de su pasión por el ambiente, o a una serie interminable de páginas web llenas de jerga técnica?

Olvide el lenguaje florido

Otro factor esencial para llegar al punto es dejar a un lado el lenguaje florido. Puede ser tentador condimentar la historia de su negocio con jerga y palabras con muchas sílabas con el fin de hacerla parecer más importante. Pero al fin de cuentas esto solo lo hace parecer un total charlatán. Observe estos ejemplos:

"Nos enfocamos en la solución de problemas basados en soluciones". (¿Qué otra forma de solución de problemas existe?).

"Haremos una evaluación de necesidades de la situación y pondremos en práctica una estrategia para trabajar en pro de los objetivos de nuestros clientes". (Sabremos lo que debemos hacer para lograr lo que usted desea y lo haremos).

"Es importante innovar en funcionalidades integradas". (Agregaremos nuevas características).

En verdad, esto sería tan significativo como seleccionar unas palabras al azar de un diccionario y ponerlas todas juntas. Deshágase de las palabras "vacías" y asegúrese de transmitir información útil en su historia. Olvídese de las palabras que ganarían el bingo corporativo de la palabra de moda y sencillamente use su idioma. Desea comunicarse, no complicarse.

¿Qué mensaje le está enviando a la gente?

Conozco a un diseñador gráfico (lo llamaremos Michael) que promueve activamente sus servicios a propietarios de pequeñas empresas. Sin embargo, como muchos empresarios, su negocio pasa por altibajos. Cuando hablamos por última vez, no estaba cumpliendo con sus metas en ventas.

"Yo publicito mi negocio en el periódico local, asisto a eventos de negocios en donde hay otros propietarios de pequeñas empresas. Es solo que no estoy recibiendo el empuje que necesito", se quejó. "Claro, consigo empleos decentes aquí y allá. Pero siempre con mucho esfuerzo".

Revisé su página web y le pedí que me mostrara su argumento de ventas. Era algo así:

"Mi nombre es Michael y dirijo una agencia de diseño gráfico con todos los servicios. Dentro de nuestros clientes se encuentran IBM, ING Bank, Staples, Procter & Gamble y Woolworths. Si necesita ayuda para diseñar cualquier propaganda desde revistas, folletos hasta carteles o embalajes, hágamelo saber ahora y le haré una cotización sin compromiso".

Supe de inmediato que estaba narrando la historia equivocada. Le pregunté a Michael por qué deseaba trabajar con propietarios de pequeñas empresas. "Me gusta trabajar con empresarios. Me gusta su forma de pensar y me gusta trabajar con ellos para darles vida a sus ideas" dijo. "También me agrada el hecho de que ellos son los encargados de la toma de decisiones. No tengo que esperar a que nuestras propuestas pasen por capas interminables de aprobaciones, como sucede a menudo en el mundo de los negocios. Y con frecuencia las propuestas se quedan estancadas a nivel de la junta directiva".

Le dije: "Si te encanta trabajar para pequeñas empresas, ¿por qué resaltas el trabajo con IGM, ING y Woolworths en tu argumento de ventas?".

Michael se detuvo a pensar acerca de la pregunta antes de responderla. "Supongo que es debido a que esos clientes son grandes" dijo poco a poco. "Nos hace ganar credibilidad por haber realizado trabajos para ellos".

Lo miré, sabía que la moneda caería en cualquier momento.

"Está bien, estoy enviando el mensaje equivocado", dijo con timidez. "Debo hacer más explícito el hecho de que prefiero trabajar con empresas pequeñas".

Michael no solo estaba enviando el mensaje equivocado acerca de su clientela ideal, sino que sin quererlo, estaba enviando un mensaje acerca de sus tarifas. Muchos propietarios de empresas pequeñas no se identificaban con su listado de clientes. Ellos no tendrán jamás el presupuesto de IBM o Procter & Gamble, así que asumían que su trabajo era de un rango de precios alto.

"He estado narrando ese argumento por tanto tiempo y nunca me tomé e tiempo de escucharlo", dijo Michael.

Analice con cuidado lo que está diciendo. La historia que está narrando puede sonar como si tuviera sentido, pero se sorprenderá al descubrir lo que la gente realmente está escuchando. Una mujer que conozco (la llamaremos Linda) es la responsable de ventas y promociones en una compañía de logística. Con los años me la he encontrado varias veces en conferencias y eventos, y además la he relacionado con un gran número de personas. Cada vez que esto sucede, su argumento es el mismo:

"Mi nombre es Linda y somos una compañía de logística que presta servicios a terceros. Es el negocio de mi esposo. Si alguna vez necesita una empresa de logística para ayudarle con sus envíos pequeños, con el cumplimiento o entregas, podemos ayudarle con todo eso".

La he escuchado narrar variaciones de ese discurso en innumerables ocasiones, pero siempre hay una línea que se repite, es esta: "Es el negocio de mi esposo". Y me estremezco cada vez que la escucho. No tiene nada de malo el hecho de que sea el negocio de su esposo, y tampoco con que ella trabaje en él. ¿Pero cree usted que sea una parte importante de su argumento de ventas?

Así como en el discurso de Michael, Linda envía un mensaje mezclado. El tema es "No soy yo quien toma las decisiones", "No soy la responsable de lo que sucede", en inclusive, "En realidad no quiero estar aquí pero mi esposo me pidió que le ayude a representar su negocio". Por supuesto, Linda con seguridad ama tanto a su esposo como para sentirse orgullosa de lo que él ha hecho del negocio, de manera que lo quiere comentar en cada oportunidad que se presente. Si es así, está bien. Pero su argumento de ventas no es el lugar para hacerlo. Si su meta es hacer nuevos clientes, entonces debe concentrarse en una historia que lleve a los demás a querer conocer, confiar y gustar de su empresa, y no a confundirlos con un comentario acerca de su matrimonio.

"ACERCA DE NOSOTROS" EN SU PÁGINA WEB

Uno de los lugares más comunes para narrar la historia de su negocio es en su página web, en la sección "Acerca de nosotros".

Concéntrese en: narrar la historia correcta

La sección "Acerca de nosotros" o perfil de la compañía, es una de las más navegadas de su sitio web, pero ¿cuánto tiempo le ha dedicado a la elaboración de la historia que cuenta allí? Es imprescindible recordar que esta página es una herramienta de ventas para usted y su empresa, así que no subestime el poder de lo que ésta puede hacer, desde ayudarlo a establecer su credibilidad y a convencer a alguien de que usted es un líder en su campo, hasta determinar si usted hace o no una venta.

¿Es usted una persona o una compañía?

Cuando hablo de "Acerca de nosotros", quiero decir "Acerca de mí" (si es un empresario independiente) o "Acerca de nosotros" (si se trata de una pequeña empresa). Los principios son los mismos, sin embargo tengo una advertencia rápida. Un error común que he visto en los empresarios independientes es cuando quieren hacer parecer su negocio más grande de lo que en verdad es. Cuando usted está empezando, puede ser tentado a hacerlo porque usted desea dar la impresión de que es una empresa establecida y próspera con múltiple personal. La gente hace esto con afirmaciones como esta:

"Nuestra experiencia va desde consultoría en recursos humanos hasta programas de construcción de líderes". (Traducción: Cuando yo era gerente de recursos humanos, coordiné el picnic de la oficina y dirigí algunos cursos para los altos directivos). "Nuestra oficina está abierta las 24 horas". (Traducción: Tengo una cuenta en Skype con posibilidad de correo de voz a la que puedo ingresar desde mi casa).

No está mal ser un empresario independiente que aspira a crecer en su negocio. Sin embargo, sus clientes y la comunidad en general, tienen muy buenos medidores de mentiras. Lo animo a que adopte la siguiente recomendación: "Si usted es en realidad un empresario independiente, no querrá hacer publicidad de que usted trabaja desde el armario debajo de las escaleras, ni de que se reúne con sus clientes en las tiendas de café ya que no tiene una oficina, pero usted tampoco tiene que pretender que dirige una gran organización. La gente verá a través de la cortina de humo de todos modos.

Es probable que sus clientes prefieran la atención personal que usted puede ofrecerles como independiente, debido a que saben que no harán negocios con alguien menos calificado o con menor experiencia, lo cual es factible en una compañía grande.

No cometa estos errores

Antes de sumergirnos en los elementos esenciales de cómo crear una buena sección de "Acerca de nosotros" para su negocio, veamos lo que no debemos hacer.

No empiece por el principio

Mientras la canción famosa de *La novicia rebelde (The Sound of Music)* declara que el principio es un buen lugar para comenzar, con alguna frecuencia lo contrario es verdad cuando se trata de narrar su historia en esta sección. Es tentador querer narrar la historia desde el comienzo. Después de todo, así nos enseñaron a hacerlo en el colegio. Hemos sido condicionados a pensar que debemos narrar nuestras historias de forma lineal.

Es común ver una sección de estas iniciar con una historia de cómo surgió la idea de crear la empresa, seguida por un recuento cronológico de los hechos principales desde allí. Y esta es con toda certeza la forma más aburrida, sin mencionar que es ineficaz para enmarcar el perfil de su empresa. En lugar de eso, empiece por el final. Parece poco lógico, pero recuerde que el lector no tiene demasiado tiempo, así que empiece con una descripción actualizada del enfoque central de su empresa.

Si el gigante en telefonía móvil, Nokia, narra su historia de manera cronológica, su sección de "Acerca de nosotros" sería algo así:

"Como proveedor de productos para el hogar, de consumo general y para militares, líder en Finlandia, fabricamos calzado (incluidas las famosas botas de goma), los neumáticos para auto o bicicleta, plástico, aluminio, productos químicos, televisores, computadoras y productos electrónicos de consumo".

Esto no tiene nada que ver con el Nokia de hoy en día, el cual es sinónimo de teléfonos móviles.

No copie su currículo

Si es un empresario independiente, tiene sentido incorporar algunos elementos biográficos en esta sección. Sin embargo, no olvide que aun así necesita narrar una historia. No querrá tan solo poner una copia de su currículo de forma narrativa. Conozco un gerente ejecutivo de una firma de servicios de informática en Australia (lo llamaremos Sam). Su sección de "Acerca de nosotros" empieza así:

"Sam inicio su vida laboral como profesor de educación física...".

Luego continúa describiendo, en orden cronológico, las diferentes posiciones ocupadas por Sam antes de empezar su negocio en servicios de informática. Ahora, si Sam hubiera empezado un gimnasio o incluso una empresa de nutrición, podría ser útil mencionar su experiencia como profesor de educación física, pero siendo objetivos, no le añade ningún valor como proveedor de servicios de informática. No quiero decir que Sam deba ocultar una parte de su vida. Sin embargo esa información no debe estar en la *primera línea* de esta sección.

Evite tantas cifras

Hemos escuchado algo así en el pasado: "Tenemos más de 200 asesores en 24 oficinas". Quizás este empresario está tratando de ilustrar la idea de que tiene suficientes asesores como para brindar servicio personalizado a todos sus clientes. Si ese es el mensaje clave, entonces él debería decir:

"Recibirá servicio personalizado y todos sus requerimientos telefónicos serán resueltos dentro la siguiente hora".

Eso tiene significado para los posibles clientes. Decirles que cuenta con 200 asesores en 24 oficinas, no. Los números son relativos. Mientras que 200 asesores tiene significado para el dueño, la mayoría de clientes no tiene idea del contexto, a menos que él se los explique. Los interesados no saben si esos 200 empleados prestan servicio a 450 personas o a 45,000. Todo empresario debe ponerse en los zapatos de quien oye su historia y asegurarse de que las cifras que utilice tengan sentido.

Por ejemplo, supongamos que su empresa es un gimnasio y usted se siente feliz de presumir que el gimnasio cuenta con 40 máquinas para correr. Pero ese número no significa nada para sus clientes potenciales. Si lo que quiere decir es que hay suficientes máquinas, entonces diga: "Con 40 máquinas para correr, usted nunca necesitará esperar a que haya una disponible".

De manera similar, usted supone que es útil usar un número con propósitos dramáticos. Por ejemplo: "10.000 niños menores a 5 años mueren en África todos los días". Ese es un concepto trágico. Sin embargo, un número como 10.000 es difícil de comprender para muchas personas. Algunas veces, una historia más enfocada logra un impacto mayor. Considere la siguiente:

"En la escuela de su pueblo, la materia favorita de María es matemáticas. Pero hoy su profesor se dio cuenta que ella estaba ausente. Con la epidemia reciente de sarampión entre los niños de la aldea, él no quiso reconocer lo que ya sabía, que jamás vería a María en su clase de nuevo".

Esta historia tiene un impacto más personal y profundo que una cifra estadística como 10.000. Como dijo Stalin alguna vez: "Cuando muere un hombre, es una tragedia. Cuando mueren miles, es una estadística". Si usted desea que la gente sienta la tragedia, pase por alto la estadística.

Además, tenga cuidado de no bombardear con muchas cifras agrupadas dentro del mismo párrafo. Por ejemplo:

"Transportes McCarthy tiene una flota de 29 buses con servicio a 73 ciudades a lo largo de 3 Estados. Nuestro equipo de 96 conductores y 15 representantes de servicio al cliente le sirven a una población de 543.000 personas".

No soy enemiga de los números y no sugiero que estas cifras no sean importantes. Sin embargo la mayoría de las personas no digiere series de números en sucesión rápida. Entonces extienda los datos numéricos en su sección de "Acerca de nosotros", de manera que los lectores tengan tiempo para digerir cada uno y entender cómo encajan con el contexto de su historia. Si usted dispara datos estadísticos como con una ametralladora, la mayoría de lectores u oyentes no los entenderán.

Entonces, ¿cómo es una buena página de "Acerca de nosotros" y cómo asegurarse de dar en el blanco?

Usted desea tener una sección efectiva, para que la gente, no solo entienda de lo que se trata su negocio, sino que desee hacer negocios con usted. Así que ¿cómo crear una página que le ayude a lograrlo? A continuación un enfoque estructurado que le asegure cubrir todas sus bases:

Los 4 puntos centrales	¿Quién? ¿Qué? ¿Cómo? ¿Por qué? ¿Cuándo? Su punto de diferencia
Los 4 puntos complementarios	Nacimiento de la empresa Entender las luchas de sus clientes Éxito con clientes Logros y credenciales
Conclusión	Su llamado a la acción

LOS 4 PUNTOS CENTRALES

Esta es la base de su sección de "Acerca de nosotros". Casi todos los negocios se beneficiaran de 4 puntos centrales.

¿Quién? ¿Qué?

Identifique su empresa y explique claramente lo que hace. Tomemos este ejemplo ficticio:

"Gourmet Healthy Cuisine provee comidas nutritivas y orgánicas a domicilio para profesionales ocupados que amen la comida pero no tengan tiempo para cocinar".

¿Cómo?

Ya ha identificado claramente a sus clientes potenciales. Ahora explique cómo planea ayudarlos. Dependiendo del tipo de negocio que dirija, usted debe describir lo que sucede cuando sus clientes le compran y cómo su vida se ve beneficiada con el producto que usted está ofreciendo. Por ejemplo:

"Entregamos a su puerta una semana completa de desayunos, almuerzos y cenas. Cada una de sus comidas está empacada de tal manera que lo único que usted necesita hacer es tomar del refrigerador la comida correspondiente, marcada con el día de la semana. Casi no requiere de tiempo de preparación o cocción, ¡solo caliente o mezcle los ingredientes, y disfrute!".

¿Cuándo? ¿Por qué?

Revele cuándo fundó su empresa y por qué. Por ejemplo:

"Fundada en el año 2005 por su Gerente, Cindy Homewood, Gourmet Healthy Cuisine fue creada después de que Cindy, quien es una verdadera fanática de la cocina, y ávida cocinera en casa, había elegido desempeñarse en una carrera corporativa que implicaba trabajar por largas jornadas sin tener tiempo para cocinar, comprar o comer de manera adecuada. Cindy ganó peso, se deprimió y buscó una solución que le permitiera balancear una buena nutrición con su estilo de vida agitado. Al no encontrar un producto con esas crcterísticas, supo que había un vacío en el mercado para comidas deliciosas y balanceadas, listas para consumir en un minuto".

Aquí es en donde usted tiene la opción de adaptar sus circunstancias específicas. Por ejemplo, si Cindy hubiera iniciado su negocio Gourmet Healthy Cuisine hace tan solo una semana, es comprensible que ella no desee ahondar en qué tan nuevo es su negocio, ¡sobre todo si aún no tiene ningún cliente! En lugar de eso, ella necesita enfocarse en un aspecto diferente del "cuando". Veamos:

"Con 10 años de experiencia como nutricionista, Cindy fundó Gourmet Healthy Cuisine debido a que se dio cuenta de que no había en el mercado opciones de alimentos precocidos altamente nutritivos para profesionales ocupados".

Su punto de diferencia

¿En qué se distingue usted de su competencia? ¿Cuál es su punto diferencial de ventas? Es correcto hacer tan solo afirmaciones genéricas como: "Tenemos excelente servicio al cliente", "Ofrecemos un amplio rango de productos", pero es más efectivo identificar puntos tangibles que de verdad lo diferencian de otros negocios como el suyo. Por ejemplo:

"Todas las comidas de Gourmet Healthy Cuisine son a base de ingredientes orgánicos, libres de hormonas, con pollos de granja y vegetales cosechados en nuestro jardín, y todos han sido evaluados y aprobados por la Fundación Australiana del Corazón (Heart Foundation)".

LOS 4 PUNTOS COMPLEMENTARIOS

Es muy probable que usted quiera incluir en su página algunos o todos los aspectos complementarios que existen, dependiendo de si adicionan o no valor a su historia. No los descarte como información adicional. Trate de encajarlos en su página "Acerca de", pero no los forcé dentro de su historia si no se ajustan a ella en forma natural.

Nacimiento del negocio

A menudo existe interés, y hasta intriga, alrededor del nacimiento de una empresa. Steve Jobs, de Apple, construyó un computador prototipo con Steve Wozniak en el garaje de sus padres. Ruth Handler inventó la muñeca Barbie cuando se dio cuenta que su hija prefería jugar con muñecas de papel con aspecto adulto. El fundador de Nike, Bill Bowerman, inspiró su exclusiva suela de caucho en el patrón de la plancha para waffles que su esposa Bárbara utilizaba para preparar su desayuno.

De manera que si hay un punto de interés o intriga, un logro o un punto de retorno con respecto al inicio de su negocio, vale la pena señalarlo en su sección de "Acerca de nosotros". Por ejemplo:

Cindy le dio la espalda a una carrera exitosa como abogada corporativa en el instante en que se vio hospitalizada por agotamiento. Fue un punto de giro en su vida. Ella supo que no valía la pena perder su salud por su carrera. Tan pronto fue dada de alta del hospital, renunció a su trabajo y fundó Gourmet Healthy Cuisine.

Para Sue Chen, la fabricante de caminadores, conocer a Yolanda fue su punto de retorno en cuanto a la manera en la cual ella concebía los caminadores.

No todos los negocios deben estar basados en una especie de tradición mítica. Su punto de retorno como empresario es la historia de pasión que usted ya tuvo que haber identificado en el capítulo anterior. La clave es enfocarse en un incidente o en una experiencia, o simplemente en una emoción o motivación que le haya dado a la empresa un impulso o una cierta dirección. Esta información le da vida a su negocio y les ayuda a sus posibles clientes a entender que existe un gran propósito detrás de su labor empresarial.

La idea clave para recordar es que cada empresa es diferente. Si la historia sobre el surgimiento de la suya no es en particular interesante o inspiradora, entonces no se sienta obligado a incluirla.

¿Qué sucede si usted no estuvo presente cuando su empresa fue fundada?

Supongamos que la compró mucho después de su fundación. Entonces hable de por qué la compró. ¿Qué lo inspiró acerca del negocio a tal punto que lo hizo sentir que debía ser parte de él?

Entender las luchas de sus clientes

Como hemos aprendido, la gente siente curiosidad por historias que incluyen luchas y desafíos, o en las cuales las personas superan los retos que enfrentan. No estoy sugiriendo que este sea el lugar para publicar una larga lista de retos que usted ha enfrentado en su negocio. Más bien, este es el lugar en donde usted demuestra que entiende las luchas por las que pueden estar pasando sus clientes. El objetivo es mostrar empatía hacia sus clientes potenciales, ya sea que ellos deseen renovar sus hogares, perder peso o crear una aplicación para el iPhone, usted debe demostrar que entiende la necesidad que ellos están enfrentando. Con frecuencia, la mejor manera de hacerlo es revelando que usted ha estado en la misma posición.

La sección de "Acerca de nosotros" de la empresa para remoción de cabello, Nad, indica que el negocio se inició porque su fundadora entendió las luchas diarias de sus clientes:

"Nad fue fundada en 1992 por Sue Ismiel, una madre que creó un producto extremadamente efectivo, natural, sin necesidad de calor, para la remoción de cabello para su hija, a partir de ingredientes que ella encontró en su cocina. El uso del gel natural para la remoción de cabello de Nad, fabricado por Sue Ismiel, se expandió de su familia hacia sus amigos, y en lo que pareció un parpadeo, llegó al mercado completo de Australia, ganando premios y dominando su categoría.

Nad también construye confianza y credibilidad sobre sus productos haciendo énfasis en que no fueron desarrollados por científicos con batas blancas, quienes no entienden, ni entenderán las sutilezas de la remoción de cabello en las mujeres. El producto original fue creado por una madre para su hija. La implicación: fue creado con amor, no es peligroso, y funciona".

Historias de éxito

Por supuesto, no todos los empresarios se encuentran en la misma posición de sus clientes. Los cardiólogos no tienen que experimentar ataques de corazón para sentir la vocación de salvar vidas. Usted no debe cometer un crimen con el fin de ser un abogado. Es aquí en donde las historias de éxito de sus clientes juegan un papel primordial en el establecimiento de sus credenciales sociales. Las historias de éxito están entre las herramientas dentro de su arsenal, más poderosas de mercadeo. De hecho, hemos dedicado el siguiente capítulo a cómo encontrar esas historias y en dónde usarlas.

En su sección de "Acerca de nosotros", usted debe dejar claro lo que sus clientes esperan al relacionarse con usted. ¿Cómo cambiarán sus circunstancias? La clave es enfocarse en el impacto positivo que su negocio va a hacer en ellos. Puede hacerlo utilizando resultados cuantificables:

"El 85% de nuestros clientes reporta un aumento significativo de bienestar en relación a su fiebre del heno (reacción alérgica al polen) después de utilizar Hayfever Begone".

O a través de testimonios convincentes:

"¡Con el consejo que recibí de Careers Coaches Unlimited, modernicé mi currículo, tengo más confianza en mi profesión, y me acaban de ofrecer mi trabajo soñado!".

Sus logros o credenciales

Usted pensará que es aquí en donde debe entusiasmarse acerca de sus logros o credenciales. Pero recuerde, esta sección no se trata de aumentar su ego con una lista de un kilómetro con cada uno de los premios o marcas de distinción que ha recibido. Concéntrese en aquellos en quienes usted quiere que construyan confianza y credibilidad en su producto. Por ejemplo, si es un quiropráctico (fisioterapeuta), debe hacer un listado de sus calificaciones y de cualquier logro en fisioterapia que tenga disponible. Sin embargo, si su página web es nombrada como finalista en los premios digitales de la Cámara de Comercio de su localidad, ese sería un bonito gesto para quien se la diseñó, pero no le va a dar más puntos a usted como especialista en dolor de espalda.

No demuestre tanto, solo porque sí. Esta es un área en donde la gente en ocasiones tiende a extenderse demasiado con la exposición de sus "logros". Si usted incluye cada distinción por la cual ha sido nominado, sin importar lo pequeña o irrelevante que sea, parecerá que está haciendo un gran esfuerzo. Y si usted da la impresión de estar dando patadas de ahogado, pone en duda la reputación por la cual ha trabajado tanto para construirla. En una ocasión conocí a una fonoaudióloga que trabajaba en centros de sordera profunda. En su biografía y materiales de mercadeo ella resaltaba con orgullo el hecho de haber asistido a la Universidad de Boston. Muchos de sus prospectos se sintieron engañados cuando descubrieron que ella asistió a esa universidad por un periodo total de dos semanas. Moraleja de la historia: los logros que se muestran, deben generar confianza y credibilidad, no cuestionarla.

Conclusión: Su llamado a la acción

Para finalizar su página web en la sección de "Acerca de nosotros", haga un llamado a la acción. No tiene que ser difícil de vender, ni incluir un código promocional, ni un conjunto gratuito de cuchillos para carne, ni tiene por qué ser complejo. Debe simplemente guiar a su audiencia blanco al siguiente paso. Puede ser algo así de simple:

"Si desea conocer más acerca de cuáles planes de comidas saludables se ajustan a su estilo de vida y presupuesto, contáctenos al 0295551234 y lo guiaremos a la mejor opción de acuerdo a sus necesidades".

¿En dónde más es conveniente usar esta información?

Adicional a su página web, recuerde que puede usar cualquiera de los puntos centrales o complementarios de su historia en folletos, materiales de publicidad, discursos o en conversaciones generales con clientes ya establecidos y con clientes potenciales. La clave es tomarse el tiempo para identificar cada punto de manera que logre articularlos de manera acertada cuando sienta que es el momento necesario de traerlos a colación en una conversación.

Algunos clientes potenciales le harán preguntas sobre su empresa a través del teléfono. Sí, por teléfono. ¿Recuerda ese aparato antiguo que usábamos antes de que todo fuera por internet? Si un cliente potencial ha llegado al momento en el que ha levantado el teléfono para llamarlo, es muy probable que desee investigar un poco acerca de lo que usted tiene para ofrecer, y es factible que, inclusive, esté listo para comprar. La llamada telefónica es casi una formalidad para revisar si es un negocio real, para buscar una reafirmación de que está negociando con gente agradable, y para aclarar preguntas que surgen acerca de su producto o servicio. Sin embargo, aunque usted conoce la

historia de su negocio de adentro hacia afuera, ¿qué pasa
si no es usted quien contesta el teléfono? ¿Ha equipado a
su gente con las herramientas que necesitan para narrar
la historia de su negocio de manera efectiva? Entrégueles
una hoja de apoyo como la siguiente:

Los 4 puntos centrales	
¿Quién? ¿Qué?	Gourmet Healthy Cuisine provee comidas nutritivas y orgánicas a domicilio para profesionales ocupados que amen la comida pero que no tengan tiempo para cocinar.
¿Cómo?	Entregamos a su puerta una semana completa de desayunos, almuerzos y cenas debidamente preparados, así que lo único que necesita hacer es tomar del refrigerador la comida correspondiente, marcada con el día de la semana, lista para consumir. No requiere tiempo de preparación o cocción, es cuestión de calentar o mezclar los ingredientes, ¡y a disfrutar!

¿Por qué? ¿Cuándo?	Fundada en el año 2005 por su Gerente, Cindy Homewood, Gourmet Healthy Cuisine fue fundada después de que Cindy, quien es una verdadera fanática de la cocina, y ávida cocinera en casa, había elegido desempeñarse en una carrera corporativa que implicaba trabajar por largas jornadas, sin tener tiempo para cocinar, comprar o comer de manera balanceada. Cindy ganó peso, se deprimió y buscó una solución que le permitiera balancear la nutrición con su estilo de vida agitado. Al no encontrar productos con esas características, supo que había un nicho en el mercado para comidas deliciosas y balanceadas, listas para consumir en un minuto.
Su punto de diferencia	Todas las comidas de Gourmet Healthy Cuisine son preparadas usando ingredientes orgánicos, libres de hormonas, con pollos de granja y vegetales cosechados en nuestro jardín, y todos han sido evaluados y aprobados por la Fundación Australiana del Corazón (Heart Foundation).

Los 4 puntos complementarios	
Nacimiento del negocio	Cindy le dio la espalda a una carrera exitosa como abogada corporativa tan pronto como se vio hospitalizada por cansancio. Fue un punto de giro en su vida. Ella supo que no valía la pena perder su salud por su carrera. Tan pronto fue dada de alta del hospital, renunció a su trabajo y fundó Gourmet Healthy Cuisine.
Entender las luchas de sus clientes	Sabemos qué tan agitado que su estilo de vida. Usted está haciendo malabares con trabajo, niños, recados y compromisos familiares, con el tiempo apenas suficiente para respirar, y mucho menos comprar la comida y cocinar. Queremos hacerle su vida más fácil para que tenga tiempo para dedicarlo a todo lo que es importante para usted.
Historias de éxito	El 87% de las personas que ha usado nuestro servicio se ha convertido en cliente a largo plazo: "Los productos de Gourmet Healthy Cuisine son muy fáciles de disfrutar. Toda una semana de comidas llega a nuestra puerta todos los lunes. Mi nivel de estrés ha disminuido. Estoy alimentándome saludablemente, y hasta he perdido dos kilos de peso". Anna Margolies.

Logros y credenciales	Cada menú es seleccionado por un nutricionista, y todas las comidas son preparadas por chefs de 5 estrellas.
Conclusión	
Su llamado a la acción	¿Le gustaría hacer su pedido ahora?

Descargue la plantilla en la sección de recursos exclusivos en www.powerstoriesbook.com. Le ayudará a crear su propia hoja de ayuda.

Nunca subestime el poder de su llamado a la acción

Cuando empecé mi empresa, yo era quien contestaba el teléfono y respondía todas las inquietudes acerca de los cursos de escritura que ofrecía Sydney Writers`Centre. Le hablaba a la gente acerca del centro, escuchaba sus sueños de publicar libros y sugería el curso que más se adecuaba a sus metas. Me hicieron muchas preguntas acerca de los temas cubiertos en los cursos, de los tipos de materias que verían y de qué clase de estudiantes por lo general se matriculaban. Yo accedía feliz a contestar todas las inquietudes y cuando ya las había contestado por completo, terminaba diciendo: "Bien, por qué no lo piensa y si tiene otras preguntas me vuelve a llamar y con gusto le ayudaré".

No quería ser insistente. Tenía la idea romántica de que los cursos hablarían por sí solos. Después de hacer esto por casi 8 meses y de haber obtenido una ganancia respetable pero modesta, decidí experimentar con un enfoque diferente. Cambié mi mensaje así: "¿Le gustaría matricularse?". Nueve de diez veces, mis prospectos de clientes decían simplemente: "Sí".

Con ese sencillo llamado a la acción, convertía un cliente potencial en un cliente real. La verdad es que ellos tenían toda la información que necesitaban, y estaban listos para comprar, yo solo tenía que darles la oportunidad de hacerlo.

¿Tiene usted un llamado a la acción? Si no está en el corte vertical de atención de consultas, ¿ha equipado a su gente con las palabras y frases adecuadas, de manera que les hagan un llamado a la acción a sus clientes potenciales?

Sus acciones

La historia de su negocio

Imagínese que se encuentra con su cliente potencial por primera vez. Tal vez lo conozca en un evento de ampliación de redes o se tope con su página web mientras navega en internet. Usted tiene una ventana pequeña para despertarle interés en su empresa. Utilice los marcos de tiempos sugeridos a continuación como guía práctica. Si excede los límites, deberá ser más conciso. Siga estas etapas o descargue la plantilla de su historia de negocio en la sección de recursos exclusivos en www.powerstoriesbook.com.

◊ Escriba su argumento de venta de 10 segundos.

◊ Escriba su argumento de venta de 30 segundos.

◊ Elabore su sección "Acerca de nosotros", o revísela si ya la tiene, basado en los lineamientos de este capítulo.

◊ Distribuya esta información a todo el personal que crea que la necesita.

5

Las historias de sus clientes

Un Angry Bird de peluche está sentado sobre el escritorio en la oficina de Mark Hayes. Al lado, un tatuaje temporal, un forro para un iPad y una fila de botellas de salsa Tabasco. No, Mark no es un coleccionista de cosas raras, es el Director de Mercadeo y Relaciones Públicas de Shopify, una plataforma de comercio electrónico que les ayuda a los empresarios a crear sus propias tiendas en línea. En su oficina en Ottawa, otros escritorios están llenos de una mezcla igual de ecléctica de productos que incluyen el té sin bolsa, calcetines de colores y un cartel antiguo. Todos son productos comercializados por diferentes empresas que usan Shopify como su plataforma de comercio electrónico.

Parece que Mark tiene su trabajo diseñado como para él, dedicado al mercadeo de una tecnología compleja para empresas de todos los tamaños y de todo tipo de industria. Pero su cliente final es... cualquiera que desee crear una tienda en línea. Con esa amplia visión, resulta difícil desarrollar una campaña publicitaria dirigida. Sin embargo existe un mensaje que todos los propietarios de empresas entienden: el viaje empresarial.

Así que más que profundizar en todas las características tecnológicas que componen el trasfondo del sistema Shopify, Mark y su equipo han desarrollado historias de Shopify en una serie de relatos cortos en línea acerca de sus clientes. "Son relatos interesantes de propietarios de tiendas en Shopify, compartiendo cómo empezaron sus empresas, por qué decidieron vender en línea y cómo esto ha cambiado sus vidas", dice Mark.

Mark está usando una de las historias poderosas más efectivas que existe: la historia del cliente.

Una de estos clientes es Sophie Kovic, de 25 años. Antes de que Sophie descubriera Shopify, ella ganaba un salario modesto por trabajar medio tiempo como directora y proyectora de un cinema en el pequeño pueblo costero de Byron Bay, en el lejano norte de New South Wales, en Australia.

Su pareja, Timothy Butterfield, era el dueño de un café y luchaba para mantenerse a flote a través de tiempos económicos difíciles. Timothy había desarrollado una lesión en su muñeca por esfuerzo repetitivo pero estaba forzado a trabajar por largas horas para sobrevivir a su carga financiera. En el año 2011, Sophie se convirtió en madre, así que la pareja entendió que debía tomar medidas drásticas si querían llegar con dinero para cubrir las cuentas al fin del mes. Para cumplir con sus pagos de hipoteca, ellos alquilaron algunas habitaciones de su casa. "Era como una casa de huéspedes", relató Sophie. "Tuvimos gente viviendo en nuestra casa, entrando y saliendo, durante dos años".

Pero eso no era todo. "Trabajábamos todo lo que ambos podíamos, turnándonos con Archie, nuestro hijo recién nacido", cuenta Sophie. "Y en todo caso, perdimos la casa. Todo fue tan perturbador y duro, sin embargo esa situación nos permitió tener la oportunidad de un nuevo comienzo".

Sophie era consciente de que deseaba una vida mejor. "Estaba cansada de vivir preocupada por el dinero y siempre había deseado empezar un negocio", contaba ella. "En esa época leí *La semana laboral de 4 horas (The 4-Hour Work Week)*, de Tim Ferriss".

Una de las premisas de *La semana laboral de 4 horas* es comenzar una empresa que genere un ingreso pasivo de manera que usted pueda ir detrás de otras metas, ya sea pasar tiempo con su familia, viajar o empezar otro negocio. Siguiendo el consejo de Ferriss, Sophie buscó en Google visiones de productos con alcance de amplio interés y baja competencia, y descubrió las extensiones para el cabello a base de plumas. Estos accesorios para el cabello son tejidos en el pelo y cuentan con el tipo de plumas que se utilizan a menudo como cebo en la pesca con mosca.

"Yo ya me había interesado en las extensiones de cabello humano, y cuando estaba buscando con esas palabras clave, la palabra "pluma" aparecía cada vez más. Cuando investigué más, me di cuenta que aproximadamente 30.000 clientes estaban buscando extensiones de pelo a base de plumas cada mes, pero que solamente existían dos proveedores vendiéndolas en línea. En ese momento ni siquiera entendía cómo eran esas extensiones, pero las encontré y empecé".

No paso mucho tiempo antes de que la casa de Sophie estuviera llena de plumas. "Había plumas en todo lugar", dice ella. Las ventas fluyeron de inmediato y con la ayuda de trabajadores temporales y una asistente nació su tienda en línea. Sophie usó al principio la ayuda de Google Adwords para atraer posibles clientes a su página y complementó su mercadeo promocionando sus productos a través de su blog y redes sociales. En el tope de su popularidad a mediados de 2011, ella obtuvo $100,000 dólares en un solo mes.

"Tuve más depósitos en los primeros meses, de los que había imaginado tener", dice Sophie, quien ahora ha expandido su rango de productos para incluir extensiones de pelo humano. "Me hubiera gustado haber descubierto esto tan solo un par de meses antes. Tal vez no hubiéramos perdido nuestra casa, debido a que tan solo necesitábamos $40.000 dólares para llenar el vacío en el banco. Pero en ese momento no tuvimos el dinero".

Después de dos meses en el negocio, Sophie decidió externalizar las funciones de administración y embalaje, y envío a su asistente, que trabajaba desde su casa, en la misma calle de Sophie. Incluso después de estos gastos, ella está en una buena situación. Ahora tiene un sistema claro funcionando y Sophie trabaja menos de una hora a la semana en su negocio.

"Decidí que quería vender en línea debido a que es fácil y el arranque es de bajo costo. Existen también muy pocos costos recurrentes. No hay que pagar alquiler, servicios públicos ni personal. El trabajo minorista tradicional está pasando por un momento difícil en esta época".

Las extensiones de cabello de Sophie se venden a individuos y a estilistas, y está buscando expandir su negocio a otros productos en el futuro. "Mientras que el negocio de las plumas me ha generado un ingreso de tiempo completo, incluyendo suficiente dinero para financiar unas vacaciones de 4 meses en Tailandia para mi familia en el 2011, todavía trabajo medio tiempo como directora y proyectista en el cinema Dendy, en Byron Bay. Mi decisión de permanecer en ese trabajo mientras le pago a alguien para que dirija mi negocio tiempo completo puede parecer extraña, pero el trabajo diario de dirigir una empresa en línea vendiendo plumas no es tan estimulante. De esta manera puedo disfrutar de mi trabajo en el cinema medio tiempo, desarrollar mis ideas de negocio y estar con mi bebé".

¿Por qué es tan útil la historia del cliente?

Una versión resumida de la historia de Sophi aparece entre las historias de éxito de Shopify. Mark Hayes considera estas historias más atractivas que cualquier listado de características y beneficios de la plataforma. "Uno no convierte a las personas con la tecnología. Las convierte mostrándoles lo que la tecnología puede hacer por ellas", afirma él. "Aún existe la idea de que vender en línea es difícil. No lo es, para nada. Si tiene usted 15 minutos y sabe usar un correo electrónico, se encuentra en capacidad de crear una tienda en línea que sea funcional y hermosa, que esté abierta las 24 horas del día, los 365 días del año, y que venda en todo el mundo".

En su historia del cliente, usted lanza a su cliente en el rol de héroe, tal como lo ha hecho Mark Hayes con los clientes de Shopify. Claro que sus clientes pueden no ser los dueños de la empresa como Sophie, ellos no necesariamente tienen que ir en un viaje empresarial constante. Quizá su meta solo sea perder peso, conseguir una buena noche de sueño, arreglar su relación con su esposa, remodelar su casa o inclusive, adquirir un yate de lujo para navegar alrededor de las Islas Griegas. Es probable que ellos estén en una búsqueda, y que esta involucre un bien material (como el yate) o uno emocional (como salvar su matrimonio).

El viaje de sus clientes es una de las historias más poderosas de su arsenal. Sin embargo, no se trata de la historia de un solo cliente, sino de construir todo un rango de historias de diferentes clientes, debido a que a menudo tienen mayor impacto al convencer y convertir a sus prospectos. Aquí está el porqué.

Existen 4 resultados clave cuando usted resalta una historia efectiva de un cliente, estos son:

◊ *Usted prueba que su negocio da resultados.* Debe crear una imagen del impacto que su negocio ha tenido sobre su clientela. Fotografías de "antes" y "después", son un ejemplo clásico de esto.

◊ *Usted demuestra que ha ayudado a gente "tal como sus prospectos de cliente".* Las historias de sus clientes les ayudan a los demás a entender la clase de gente con la que usted trabaja. Más importante aún es el hecho de que ellas le demuestran a su clientes potenciales que usted ha ayudado a gente "como ellos".

◊ *Establece credibilidad.* Mientras que el héroe en esta historia es su cliente, acuérdese de mencionarse a usted mismo o a su negocio, como uno de los protagonistas, como alguien que juega un papel importante en ayudar al cliente a alcanzar la meta.

◊ *Usted es recomendado por terceros.* La historia de su cliente es una referencia implícita de parte de ese cliente. No es apenas que usted utiliza palabrería acerca de lo grandioso que es usted. ¡Usted tiene la evidencia de que *otras personas* también piensan que usted es muy bueno en su negocio!

Entonces ¿cómo y en dónde se usan estas historias?

Existen dos tipos principales de historias: aquellas elaboradas y compartidas por su cliente, y las elaboradas y compartidas por usted.

Historias elaboradas y compartidas por su cliente

Algunas historias de clientes serán iniciadas por su cliente. Estas son:

◊ En los sitios en línea tales como Yelp.com, en opiniones de tiendas en línea, sitios de opinión sobre restaurantes, etc.

◊ Opiniones en blogs personales, Twitter, Facebook y otras redes sociales.

◊ Palabra hablada.

En los viejos tiempos, antes que existieran las redes sociales, nuestros clientes compartían sus historias con sus amigos en asados, tomando unos tragos los viernes en la noche o esperando en las entradas de los colegios. Hoy en día un cliente escribe un Tweet acerca de una experiencia fantástica (o terrible) desde su teléfono inteligente en cuestión de segundos. Ni siquiera ha dejado el almacén cuando los cometarios sobre su producto o servicio ya han sido transmitidos a cientos, o a miles de sus seguidores. Y, dependiendo de su esfera de influencia, estos comentarios son respondidos de manera ágil y rápida, reenviados o compartidos más allá por sus amigos.

Es genial cuando sus clientes hablan maravillas de su negocio. Si ese es el caso, usted desea que ellos sean la chispa que esparce la llama de cometarios positivos acerca de usted. Para aumentar sus probabilidades de que esto suceda, todo lo que necesita es entregar un servicio fantástico o un producto de calidad. Usted desea darle a su clientela una razón para que compartan una historia increíble acerca de usted. Permítales hacerse cargo de recomendar su negocio. Pero si sus comentarios son negativos, entonces debe entrar de inmediato en modo de control de daños. Usted necesita darle una buena forma al final de las historias de sus clientes.

Historias elaboradas y compartidas por usted

Mientras que las historias elaboradas por sus clientes dependen en gran parte de su experiencia (ojalá positiva) con usted, vale la pena ser proactivo cuando se trata de historias de clientes bajo su control. Estas son aquellas encontradas, empacadas y compartidas por usted, con la autorización de su cliente, por supuesto. Incluyen:

◊ Testimonios de clientes que usted publica en su sitio web, en folletos y en otros materiales publicitarios. Son casi siempre comentarios breves suministrados por sus clientes.

◊ Estudios de casos, y por lo general son historias más largas, a menudo hasta de una página, que van al detalle acerca de la experiencia de su cliente con usted. Además de publicar esto en su página web, se usan en documentos de mercadeo más específicos, tal como una oferta o propuesta por escrito para un cliente.

Además de dirigir mi propia empresa, también asesoro a propietarios de pequeñas empresas. A menudo hablo de la importancia que tienen los testimonios de sus clientes. Ellos asienten con su cabeza y me dicen que entienden lo poderosos que pueden ser los testimonios en el proceso de convertir a nuevos clientes, y me aseguran que publicarán algunos en sus páginas web, tan pronto como sea posible. En la siguiente reunión que tenemos para una sesión de asesoría, reviso sus sitios web y materiales publicitarios. No hay ninguna historia de cliente. No hay testimonios. Cuando pregunto ¿por qué?, la razón es casi siempre la misma:

"Todavía nadie me ha dado alguno".

¡Por favor. El hada de testimonios de clientes no va a dejarlos caer sobre su regazo en bandeja de plata. Los clientes no van a aparecer de repente con un párrafo conciso acerca de cuánto lo aman, ni van a enviarlo por correo electrónico simplemente porque sí. Usted debe preguntarles por ellos.

Por supuesto, aquí es en donde escucho a algunas personas decir: "Pero no pude preguntar", a lo cual yo respondo, "¿Por qué no?".

La clave no es sentarse a esperar a que el cliente le diga lo bueno que es el producto o servicio que usted le ofrece. Usted debe buscar esas historias de manera sistemática. La palabra clave aquí es "sistemática". Si usted no construye sus historias dentro de un patrón de flujo de trabajo, entonces el suyo va a ser uno de esos trabajos que se quedan atrás en el camino, algo que el cliente de turno va a archivar, para olvidarlo por completo con el paso de los días.

En Sydney Writers' Centre, compartimos por lo menos una de nuestras historias de clientes cada semana porque tenemos la política de que en nuestro diario electrónico semanal siempre publicamos un "estudiante de éxito". Ese es nuestro equivalente a historia de cliente. Si no tuviéramos un sistema para encontrar, concretar y compartir estas historias, entraríamos en pánico cada semana tratando de encontrar una historia de cliente para compartir con nuestra comunidad.

Si usted no posee un sistema para identificar, sintetizar y compartir sus historias de clientes, utilice el siguiente método como guía, adaptándolo de acuerdo a sus necesidades. Lo más importante es *implementarlo* para que empiece a identificar historias valiosas de clientes, ahora mismo.

ENCONTRAR SUS HISTORIAS DE CLIENTES

Probablemente no tiene escases de historias maravillosas de clientes, pero si todas son anecdóticas o en forma de comentarios casuales de clientes agradecidos, le resultará difícil recopilar estas historias dentro de un vehículo poderoso para hacer crecer su empresa. Lo que usted necesita es... un sistema.

Cómo capturar información

Para esta labor, necesita una forma sencilla y efectiva de capturar información. Entréguele a su cliente una copia dura de un formato para diligenciar, o hágalo de manera electrónica enviándole un correo con un enlace a una encuesta en línea.

Así que ¿cuál debe escoger? Muy simple, la forma que sea más usada por sus clientes. Yo tengo una fuerte preferencia por la captura de información por vía electrónica porque no es necesario que alguien digite los datos en una hoja de cálculo u otra clase de formato en línea. Todas las respuestas son capturadas en un solo lugar, y el sistema permite búsquedas por nombre o por palabras clave en segundos, en lugar de tener que dar vueltas a través de cientos de hojas de papel. Sin embargo, si no tiene mucho éxito logrando que sus clientes suministren retroalimentación vía internet, entonces deberá usar la vía de las copias en papel.

Cualquiera que seleccione, asegúrese de que funcione como el mecanismo de un reloj. Inserte esa actividad en su proceso de flujo de trabajo. Por ejemplo, si es un profesional de la salud, asegúrese de pedir retroalimentación al final de cada sesión o serie de sesiones. Si es un asesor de mercadeo, identifique un incidente desencadenante que le asegure que pedirá los comentarios de sus clientes en el tiempo ideal. Puede hasta automatizarlo. Por ejemplo, su sistema de flujo de trabajo sería establecido de manera que cuando se emitiera una factura final a un cliente, el formato para retroalimentación sea enviado dos días después.

Obvio, necesitará determinar el tiempo ideal para pedir los comentarios. Debe asegurarse que está pidiendo la retroalimentación después de que el trabajo o proyecto ha sido terminado de manera que su cliente tenga cómo comentar si usted ha alcanzado lo que él esperaba y cumplió con sus expectativas.

Si ha vendido un producto, necesita darle tiempo suficiente a su cliente para usarlo antes de evaluarlo, pero tampoco deje pasar tanto tiempo de manera que su experiencia con usted ya sea parte de un recuerdo distante.

¿Qué información necesita?

He visto tantos formatos de retroalimentación que apenas preguntan: "Díganos ¿qué piensa de nosotros?". Aunque provoca algunas respuestas, es una pregunta muy vaga y amplia como para ser realmente útil. Usted necesita precisión para utilizar estas respuestas en su sitio web o en materiales publicitarios de forma poderosa.

Esto es poderoso:

"La mejor parte del Gimnasio ABC es John. Él me ha ayudado a entender la nutrición de una forma diferente. Soy más fuerte de lo que jamás he sido, no sufro más de dolor de espalda y dejé de fumar. Este gimnasio es un gran lugar para personas que de verdad están comprometidas con estar en forma pero no quieren ejercitarse con idiotas."

Esto no lo es:

"¡Gran gimnasio!".

El anterior es un buen comentario de un cliente satisfecho pero no es una historia. Necesita obtener respuestas que se conviertan en historias poderosas, y eso lo logra formulando las preguntas correctas. A continuación le presento unas preguntas útiles para cualquier tipo de negocio. Pero debe considerar formular preguntas adicionales específicas para los clientes de su industria.

¿Cuál ha sido la mejor parte de su experiencia?

Por lo general, termina en un comentario positivo. Pero el simple hecho de que le pida al cliente que describa "la mejor" parte de su experiencia, a menudo termina en una respuesta tan poderosa como para convertirla en un testimonio completo.

¿En qué áreas necesitamos mejorar?

Es una gran oportunidad para escuchar a sus clientes y aprender en dónde es posible mejorar. Con seguridad, usted no usará esto en su historia de cliente, pero le indicará a su cliente que usted está comprometido a escuchar lo bueno y lo malo.

¿Nos recomendaría a sus amigos?

¡Con suerte dirán que sí!

Si responden que sí, ¿qué diría usted?

Las respuestas a esta pregunta son las más valiosas debido a que los clientes están hablando de la empresa como un todo. Más que comentar sobre un producto o servicio específico que ellos compraron o experimentaron, están describiendo su experiencia en general con su producto o servicio.

¿Nos autoriza a usar sus comentarios en nuestros materiales publicitarios?

Siempre recuerde hacer esta pregunta. No querrá recopilar los comentarios más maravillosos y las recomendaciones, solo para darse cuenta de que no tiene permiso para usarlos. Recuerde que algunas personas son muy particulares con respecto a su privacidad y, por múltiples razones, no quieren que usted use sus nombres y testimonios. Debe respetar eso. Pida permiso. Le sugiero que lo haga con casillas de chequeo para las respuestas, así:

¿Nos autoriza a usar sus comentarios en nuestros materiales publicitarios?

☐ Sí

☐ No

De esa manera, la gente marca su respuesta. En mi experiencia, cuando usted formula una pregunta abierta, tiene más alta incidencia de que la gente la deje sin responder.

INCREMENTAR LA TASA DE RESPUESTA DE LOS CLIENTES

Si no obtiene muchas respuestas cuando pide retroalimentación de los clientes, es tiempo de ajustar su sistema.

La pregunta

¿Necesita elaborar su "pregunta" de manera que estimule más comentarios por parte de sus clientes? Cambie el mensaje hasta que empiece a obtener mejores respuestas. Esta "pregunta" funcionaría:

"Estaremos agradecidos si usted nos da sus comentarios acerca de su experiencia con nosotros. Por favor hágalo haciendo clic en este link".

Pero la siguiente generaría una mejor respuesta:

"Gracias por elegir hacer negocios con nosotros. Estamos en la búsqueda continua de opciones para mejorar nuestros servicios y nos encantaría tener sus comentarios sobre su experiencia reciente con nosotros. Queremos asegurarnos de que estamos suministrando los servicios que satisfacen sus necesidades, así que si tiene tiempo para completar nuestra encuesta de un minuto, lo apreciaremos".

La mecánica

¿Está facilitando el procedimiento para que sus clientes aporten sus comentarios? Si ellos deben seleccionar una serie complicada de enlaces, acabarán dándose por vencidos. Cuando empecé mi empresa, envié preguntas por correo electrónico. En esa época utilice el Survey Monkey para enviar encuestas en línea a mi comunidad. Es sencillo y fácil de usar para los clientes. Si desea una demostración visite la sección de recursos exclusivos en www.powerstoriesbook.com

La clave es hacerlo simple para sus clientes. Usted no desea que ellos tengan que ingresar a foros especiales o saltar a través de aros para darle retroalimentación.

Las preguntas

¿Ha incluido demasiadas preguntas en su encuesta de satisfacción? Si un cliente ocupado ve una serie de preguntas, está menos propenso a responder. Es tentador utilizar esta como una forma disimulada de investigación de mercado para sus otros productos o servicios, así que si usted carga su encuesta con demasiadas preguntas acerca de otras áreas de su empresa, está desenfocando el punto del ejercicio.

Formule sus preguntas de forma concisa, enfocada y diseñada para extraer de su cliente un testimonio valioso que pueda usar.

REVISE SU INFORMACIÓN Y OBTENGA HISTORIAS DE CLIENTES

Dependiendo con qué frecuencia solicite retroalimentación, usted debe programar momentos regulares para revisar las respuestas. Puede ser diario, semanal o mensual, dependiendo de la naturaleza de su negocio y del volumen de respuestas.

Si está empezando un negocio, usted debe ser quien revisa esas respuestas. En ese momento es una de las actividades más valiosas que necesita realizar porque es valiosa para ayudarle a detectar a tiempo cualquier problema potencial o asunto no resuelto. Hasta un comentario negativo de un cliente es un regalo del cielo ya que eleva las banderas rojas de forma que usted tome acciones, antes de que se le convierta en un problema acrecentado.

Revisar las respuestas de sus clientes le provee pistas valiosas en cuanto al siguiente paso en su viaje. En los primeros días de Sydney Writers' Centre, ofrecíamos apenas un pequeño número de cursos de escritura, pero a medida que revisábamos los comentarios de nuestros clientes, tomábamos nota de los tipos de cursos y servicios que ellos decían que deseaban. Esa información nos ayudó a determinar cuáles cursos ofrecer a continuación, sin preocuparnos por la demanda, ¡sabíamos que la demanda estaba ahí!

COMPARTA LAS HISTORIAS DE SUS CLIENTES

Una vez que ha extraído una serie de historias poderosas de sus clientes, necesita una forma sistemática para usarlas. No tiene sentido tener un montón de testimonios maravillosos reposando en un documento. Debe compartirlos (con el permiso de sus clientes, por supuesto). Existen dos formas principales de hacerlo:

Externamente

Usted puede publicar los testimonios de sus clientes de manera que sus prospectos puedan leerlos, así que piense en las páginas de su sitio web que ellos visitan con más frecuencia. Si su mayor cantidad de visitas es generada cuando la gente descarga un reporte gratis de su sitio, vale la pena incluir algunos testimonios poderosos en ese reporte gratis.

Cada empresa es diferente, así que debe determinar el mejor lugar para publicar sus testimonios de clientes. ¿Puede publicar una historia de un cliente en su boletín electrónico? ¿O en una página dedicada a este propósito en su sitio web? ¿O tal vez cerca de un producto específico en su tienda en línea o en su blog? La clave es usar el testimonio. Si no lo hace, está perdiendo una oportunidad de mostrar el impacto que tiene su empresa sobre la vida de sus clientes. La mejor forma de hacerlo es adoptando un enfoque estructurado. Por ejemplo:

Semana 1: Publicar un testimonio de cliente en su boletín por correo electrónico.

Semana 2: Publicar un estudio de caso más largo acerca de una historia de cliente en su blog.

Semana 3: Resaltar la historia de éxito con un cliente en Facebook o LinkedIn.

Cuando revise la información de su encuesta, encontrará que algunas historias sobresalen. Puede que trabajar con usted haya tenido un efecto de cambio de vida en uno de sus clientes, que fue tan especial, que usted quiere gritarlo a los cuatro vientos. Realizar un breve testimonio tomado de las pocas frases que su cliente proporcionó a través de la encuesta, no le hace justicia a esa experiencia tan enriquecedora. Si este es el caso, contacte al cliente para obtener más detalles y narrar una historia más larga. Sophie Kovic, con sus extensiones para cabello a base de plumas, es un gran ejemplo de esto. Esta clase de estudios de caso no solo son valiosos para mostrar, sino que también se usan en folletos, propuestas y otros documentos publicitarios.

Internamente

También recuerde compartir sus historias con su equipo de trabajo. No todos los miembros del equipo estarán cara a cara negociando con los clientes. Aquellos en operaciones, logística o contabilidad, no están muy expuestos a ver cómo sus esfuerzos dentro del negocio finalmente afectan a los clientes. Compartir estas historias con su equipo, pone su trabajo dentro de contexto y les muestra que ellos también son parte de un panorama más grande.

Mark Hayes considera que estas historias ofrecen un recordatorio inspirador para el equipo de Shopify. Más que enfocarse en traer tantos clientes como sea posible, las historias le recuerdan al equipo las caras humanas al otro lado de su tablero administrativo. "Las historias de Shopify validan lo que hacemos aquí: ayudamos a las personas. No solo venimos a la oficina y trabajamos de 9:00 A 5:00 para atraer la mayor cantidad de clientes posible. Lo que hacemos aquí marca una diferencia enorme en la vida de la gente. Hemos ayudado a nuestros clientes a convertirse en millonarios; hemos ayudado a madres solteras a salir de la pobreza; hemos ayudado a ser famosa a alguna gente. Inculcar un sentido de orgullo en nuestro personal, ayuda".

Videos de testimonios

Aunque los testimonios de clientes de forma escrita son perfectos, no pasará mucho tiempo antes de que los testimonios en video sean obligatorios. Ya han sido introducidos en muchos sitios, incluido el mío, pero espero que sean más populares en los próximos años.

Los clientes querrán ir más allá de leer las opiniones de los clientes, ellos querrán ver a esos clientes. En poco tiempo será normal grabar un video de usted mismo haciendo un comentario rápido sobre un restaurante o cualquier otra experiencia como consumidor. Las aplicaciones para iPhone que graban y almacenan videos de 15 segundos (por ejemplo Tout y Viddly.com) están ganando popularidad. La gente puede acostumbrarse al video con sonido de 15 segundos tan rápido como lo hizo con el mensaje de estado de 140 caracteres de Twitter. Todavía no ha llegado el día en que sea indispensable para cada empresa publicar los videos de testimonios de sus clientes, pero no está lejos.

BUENA CONVERSACIÓN AL ESTILO ANTIGUO

Además, aunque hemos profundizado mucho en compartir sus historias de clientes por vía electrónica, es vital recordar utilizarlas en una buena conversación al estilo antiguo. Entréguele a su equipo de mercadeo y servicio al cliente, o a cualquiera que tenga que ver con clientes potenciales, acceso a la información que ha recogido de las historias de sus clientes, de manera que ellos tengan cómo acudir a este grupo de historias, cuando hablen con esos clientes prospectos.

En algunas ocasiones, narrarle a un prospecto una historia acerca de otro cliente que se ha beneficiado de su producto o servicio, es justamente lo que se necesita para sellar el trato. No debe usar estas historias en cualquier clase de venta difícil. Pero necesita conocerlas para mostrar cómo ayuda a sus clientes, en particular si su oferta de servicio es esotérica, compleja u homogénea.

CREE UNA COMUNIDAD PARA SUS CLIENTES

Cuando usted crea una comunidad para sus clientes, ellos terminan narrando sus historias con otros. Esto confirma y valida su experiencia con usted. Si comparten experiencias positivas, se fortalece su producto o servicio, pues ellos reconocen que su experiencia con usted no fue algo aislado, sino que de hecho sucede todo el tiempo. Se trata de polinización cruzada entre las historias de sus clientes, lo cual genera lealtad.

También es una máquina de mercadeo en asteroides. Sus clientes más valiosos son las personas que han comprado su producto antes. Ellos ya lo han conocido, les ha agradado y confían, así que es más fácil convencerlos de que vuelvan a comprar, que atraer a un completo extraño.

Cuando sus clientes hablan entre sí, casi siempre comparan notas acerca de productos específicos y servicios que han comprado. Aquí es en donde el poder de construir una comunidad entra en acción, debido a que ellos están haciendo el mercadeo por usted. Sin necesidad de enviar correos promocionales o folletos, la gente de su "tribu" o comunidad está hablando de sus productos y servicios.

Hace poco di una charla en un evento dirigido por Etsy.com acerca de cómo usar los medios y las redes sociales para construir su perfil e impulsar su negocio. Etsy.com es un mercado en línea dominado por vendedores de productos hechos a mano y artículos antiguos. Sus usuarios vienen de todo el mundo y la mayoría se conocen entre sí por sus perfiles en internet. Estas conferencias son una forma de reunir a miembros de esta comunidad con ideas afines (tienen tiendas en línea de Etsy.com, y a todas les gustan las artesanías). Esta conexión en "la vida real" construye relaciones y forma un grupo de la industria más fuerte después de que cada uno regresa a sus estudios de arte, salas de costura o bancas de trabajo.

Las historias de sus clientes son mucho más que testimonios en su página web. Son historias poderosas que generan eco en sus clientes prospectos, y llegan a convencerlos, convertirlos y conectarlos hasta transformarlos en clientes de por vida.

Sus acciones

Las historias de sus clientes

Deténgase. Sálgase de su rutina diaria. Piense en personas reales, en clientes que usted conoce. Imagine sus caras, escriba sus nombres y analice el impacto que sus productos o servicios han tenido en ellas. Recuerde el tipo de historias de clientes que de verdad muestran lo que usted hace.

◊ Descargue la plantilla de la historia de sus clientes en la sección de recursos exclusivos en www.powerstoriesbook.com.

◊ Defina una forma sistemática y eficiente de recolectar las historias de sus clientes, por vía electrónica o mediante un formato de retroalimentación en papel.

◊ Implemente el paso 2. ¡Sí, tome acciones! Aquí es en donde la mayoría de empresarios se derrumba. No se quede atrapado en este paso. Siga adelante.

◊ Programe con regularidad momentos para revisar la información y extraer las mejores historias.

◊ Considere si hay lugares específicos (como el sitio web o un boletín) en donde se deban publicar las historias.

◊ Prográmese para compartir las historias clave con sus colaboradores para que conozcan la diferencia que su empresa está haciendo en sus clientes. Por ejemplo, puede ser un punto a tratar en forma regular dentro de la agenda de las reuniones del equipo de trabajo.

◊ Promueva una comunidad en línea en donde sus clientes logren interactuar, conocerse y construir lealtad hacia su producto o servicio.

6

Su historia
promocional

En la oficina de Mick Liubinskas no hay escasez de ideas. Él es el cofundador de la empresa australiana por internet, Pollenizer, una incubadora de empresas. Mick escucha semana tras semana incontables argumentos de aspirantes a empresarios web que lo único que desean es ser los próximos Mark Zuckerberg o Larry Page. Dichos argumentos le llegan a su sitio web justo cuando él está acorralado por la puesta en marcha de eventos de redes, y en medio de

145

un sinnúmero de correos y llamadas telefónicas de aspirantes que desean media hora de su tiempo para venderle lo que ellos suponen será el siguiente gran invento.

Mick dice que trabajar en el mundo de los lanzamientos es como la escena de una cita. Primero hay un acercamiento (en donde usted se dirige poco a poco a alguien en el bar); luego sigue la introducción y algo de coqueteo antes de decidir si desean conocerse. "Cuando conoce a alguien, usted no se lanza de una vez con la historia de su vida", dice Mick. "Usted debe capturar la atención de ese alguien primero, lo cual significa que usted debe lanzar su argumento de ventas".

En el capítulo 4 hablamos de cómo elaborar su argumento de ventas. Pero cuando su empresa no es más que una idea, usted necesita un discurso diferente, ya que usted no tiene con exactitud mucha información con la cual trabajar, como tampoco una trayectoria, ningún cliente y, en algunas ocasiones, ¡ni siquiera un negocio real! Quizás usted ha meditado mientras se ducha y piensa tener una idea para crear el próximo Instagram. O mientras saca a pasear a su perro sufre una convulsión de emprendimiento que tiene su mente dando vueltas con la convicción de que su idea será mucho mejor que eBay.

Antes de lo que le dicta su intuición, usted imagina que su idea se convierte en un negocio ya establecido, pero usted debe convencer a todos, desde sus inversionistas hasta los clientes, desde proveedores hasta empleados eventuales, de que tiene un producto viable. De eso se trata su historia promocional, la cual le ayudará a empezar a darle forma a su idea.

Para Mick y su cofundador Phil Morle, esa es una historia que los empresarios con quienes trabajan deben tener bien elaborada. En una oficina situada en el centro de la ciudad de Surry Hills, en Sydney, el equipo de Pollenizer está agrupado en "cápsulas", y cada una trabaja en la puesta en marcha de un solo proyecto con el cofundador. Mick dice que ellos invierten por lo general en proyectos de emprendimiento no técnicos para lanzar empresas en internet. Mick tiene amplia experiencia en el campo de los lanzamientos, incluyendo dos años como Director de Mercadeo de Servicios de Intercambio de Archivos Kazaa, más conocido por el intercambio persona a persona de archivos MP3.

Pollenizer tiene algunas similitudes con la incubadora de empresas web de Estados Unidos YCombinator, encabezada por el técnico en iluminación Paul Graham, quien otorga un capital de semilla y un entrenamiento intensivo a través de su campamento altamente competitivo de 13 semanas, antes de atraer a otros inversionistas de largo plazo. La diferencia clave es que Pollenizer es de mucho más "alto contacto" ya que opera como cofundador junto con el empresario. Pollenizer trabaja de manera equitativa en la puesta en marcha y guía a su cliente desde el inicio, el desarrollo, el crecimiento, hasta el éxito. Desde su fundación en el año 2008, Pollenizer ha recibido miles de argumentos, trabajado con más de 200 empresas e incorporado a más de 30 de ellas.

Las inversiones de Pollenizer incluyen la plataforma de pagos sociales Pygg, el sitio web de entrenamientos Coachy.com y la aplicación de reconocimiento al empleadoWooboard.com. Pollenizer apareció en los titulares en

enero del 2011 cuando vendió su lanzamiento más exitoso, Spreets, ¡a Yahoo!, por $40 millones de dólares.

INTRIGUE, NO ASUSTE

Tal como la escena de una cita, su discurso debe intrigar a alguien lo suficiente como para que quiera volver
a hablar con usted, pero no tanto como para espantarlo.
"Si alguien me dice que va a acabar con Facebook y a ganar $1 billón de dólares en los primeros 12 meses, dejo de
escuchar", afirma Mick. "Pero lo opuesto a eso es también
verdad. Si alguien me dice que va a 'tratar de entrar en el
mercado', presentada así, esa idea es demasiado débil".

"Se trata de un equilibrio difícil de lograr, ya que usted
debe ser tan emocionante como para llamar mi atención,
pero no tan loco como para hacerme pensar que es un de-
mente".

Su historia de lanzamiento es una herramienta de poder importante en su arsenal. Aplica incluso si su empresa
o producto no tienen nada que ver con la web. Usted debe
dominar un discurso que le ayude a presentar con éxito
cualquier idea nueva. Si está explicando el concepto de
una empresa tradicional, digamos un consultorio médico,
un centro de cuidado de niños o un negocio de alquiler
de autos, estos son conceptos con los cuales la gente está
bien familiarizada. Es más difícil convencer con una idea
novedosa, sobre todo si está relacionada con algo que no
se ha hecho antes.

En el mundo de lanzamientos por internet, en algunas
ocasiones la tecnología no es la barrera más grande. De

hecho, a menudo es el menor de los problemas. Pero si usted no logra comunicar con efectividad lo que la tecnología puede hacer por su idea, y cómo ésta será aceptada por los usuarios, es aquí en donde el proyecto tiende a estancarse, no porque no sea una gran idea, sino porque usted como inventor no la explica en una forma que tenga sentido para los demás.

Entonces ¿cuáles son los elementos esenciales de una historia de lanzamiento? Cuando intenta convencer a los inversionistas de desprenderse del dinero que ellos han ganado con esfuerzo para que lo inviertan en un nuevo concepto, Mick afirma que la historia de lanzamiento que él lanza debe tener claridad en dos aspectos: que se trate de una idea que solucione un problema, y que el inventor tenga la tenacidad y pasión para convertirla en realidad.

¿CÓMO SIRVE SU IDEA PARA RESOLVER UN PROBLEMA?

Usted debe mostrar que existe mercado para su producto, y lo logrará demostrando que su idea tiene la capacidad de resolver un problema que se ha expandido en forma demasiado amplia. Sin embargo usted no tiene ningunas proyecciones de venta debido a que todavía no ha lanzado el producto al mercado. Tiene que confiar en información industrial histórica ya que nadie ha hecho antes lo que usted quiere hacer. Su idea es tan novedosa que no existen ningunos parámetros en la industria contra los cuales compararse.

¿Qué puede hacer entonces? Bien, las palabras por si solas no lo van a lograr, en especial si está pidiéndole a

149

alguien que le financie su gran idea. Entonces, una serie interminable de hojas de cálculo de Excel llenas de proyecciones de flujo de efectivo, no necesariamente lo llevaran hacia la línea de partida. Cualquiera está en capacidad de llenar una hoja de cálculo con números, pero los números por sí solos no son convincentes. La clave es mostrar que esas cifras son alcanzables. Y eso quiere decir, convencer a su auditorio de que existe demanda para su producto.

Es aquí en donde usted tiene que entrar en acción con el fin de crear la historia que le ayude a ser convincente. Es correcto, necesita jugar un papel activo para sacar adelante su historia de manera que tenga un discurso que valga la pena escuchar. Usted debe ser el autor de su propia novela de aventura, y crear una historia tan convincente que los demás personajes deseen unírsele al viaje.

Lo mejor que debe hacer es concentrarse en todo lo que necesite para demostrar que la gente, es decir gente diferente a amigos y familiares, comprará su producto. Eric Reis en su libro *El método Lean Startup (The Lean Startup)*, habla de crear un "producto mínimamente viable". Esto fue justo lo que Mick hizo con Coachy.com, un sitio en donde usted puede reservar entrenamientos personalizados en vídeo, con expertos que van desde profesores de guitarra y chefs hasta instructores de surf. Es una empresa en línea cofundada por Pollenizer y el empresario Luke Grana.

"¡Lanzamos la empresa 24 horas después de tener la idea!", afirma Mick. Con eso, Mick quiere decir que crearon un producto mínimamente viable para saber si alguien usaría el servicio. No construyeron el sitio completo, no gastaron mucho en publicidad, ni invirtieron años en investigación y desarrollo.

"Lo falsificamos" dice Mick.

Utilizaron una única página en internet para explicar el concepto, lo publicitaron por Twitter y en menos de dos horas tenían su primera compra. En lugar de entrenar al cliente a través de un portal en línea aún sin construir, utilizaron un video en Skype, junto con una serie de plataformas diferentes, para inscribirse, pagar, programar y ver el video, empleadas para simular lo que Coachy.com proveería a través de la interface. Estas pruebas tempranas de producto mínimamente viable les permitieron a los fundadores adicionar evidencia profunda y anecdótica a su historia de lanzamiento.

Identifique la empatía del inversionista

Además de demostrar la demanda comercial de su concepto, su historia debe ser hecha a la medida de cada inversionista, o de cualquiera a quien se la esté presentando con el mismo fin. También debe ser diseñada a la medida de los intereses y motivaciones del inversionista. "No se trata siempre de dólares y centavos", dice Mick. "Entre más fuerte sea la empatía que el inversionista tiene con las ideas del inventor, más alta es la probabilidad de que el inventor tenga éxito".

"Yo le llamo a eso "sangre en el piso". Si algo no está sangrando con un fuerte dolor, entonces el inversionista pensará que es bueno solucionarlo, pero no implica que ese sea un producto que debe patrocinar. "El nivel de empatía con la urgencia del dolor es la palanca que usted tiene para cerrar el trato".

Identificar la empatía se basa en dos aspectos: *investigar* y *escuchar*. Haga su investigación antes de la reunión. Averigüe si la persona a quien usted está conquistando ama el golf, odia el partido liberal, está obsesionada con la Liga de Futbol Australiano AFL o es apasionada por ayudar a rescatar perros. Usted puede recopilar información útil de su perfil en LinkedIn, en artículos de prensa y actualizaciones de redes sociales. No quiero decir que en una misma oración usted hable de "Tiger Woods", "Competidor para Medalla Brownlow", y "un lindo cachorro", pero entre más investigue con anticipación, mejor sabrá adaptar sus historias cuando esté en medio de la conversación con su posible inversionista.

Aunque resulta tentador y angustiante decir su discurso de una sola vez, es importante recordar que este no debe ser un monólogo. Escuche a quien usted está presentándose y ajuste su mensaje a medida que avanza. Los inversionistas tendrán motivaciones diferentes para querer invertir. Mick señala que algunos inversionistas no se dejan llevar primeramente por obtener grandes ganancias de su inversión. Por supuesto ellos no se retractarán si sus ganancias son altas, pero suelen tener diferentes prioridades. "Algunos inversionistas ya están establecidos en el aspecto financiero", afirma Mick. "Lo que ellos desean es un viaje y una experiencia. Claro, ellos esperan recuperar su dinero, pero usted debe diseñar su historia para que ellos vean cómo van a ser parte de ella".

Demostrar tenacidad y pasión

¿Por qué lo emociona el proyecto? ¿Qué va a hacer que usted trabaje hasta altas horas de la madrugada cuando todas las luces están apagadas? ¿Qué lo motiva y cómo encaja esto en el panorama? Narre con brevedad la historia de por qué usted está preparado para ir al infierno y volver, con tal de hacer que su idea funcione.

Dé evidencia de su tenacidad. Mick dice: "Un buen inversionista sabe que la solución va a cambiar muchas veces. Una vez usted demuestre que existe un problema que merece ser resuelto, o un dolor que vale la pena calmar, entonces usted necesita con urgencia demostrar que tiene la tenacidad para resolverlo. Para lograrlo, haga evidente que tiene trayectoria en la construcción de empresas. Esta clase de experiencia hará que los inversionistas le den una segunda mirada".

Si aún no ha construido ningún negocio antes, es aquí en donde la evidencia de su pasión y persistencia entran a jugar. "Debe realmente desear contarme su historia", dice Mick. "Ya que demostrar su pasión le ayuda a compensar, en parte, la ausencia de trayectoria. Cuando un completo extraño me contacta con el deseo de tener una conversación acerca de su idea nueva, por lo general no tengo tiempo para verlo. Pero si él me envía 3 o 4 correos, tal vez en algún momento lo haga. Con esto no pretendo parecer arrogante, pero como inversionista, debo saber que esa persona que me contacta en realidad desea presentarme su idea".

INNOVACIÓN ABIERTA E INTERCAMBIO DE HISTORIAS

Si usted piensa que tiene la mejor nueva idea del mundo, debe mantenerla en secreto antes de lanzarla a un mundo desprevenido, ¿verdad? Después de todo, usted quiere mantener su idea en secreto para que otros no se la quiten, la implementen y se llenen de dinero antes de que usted haya tenido la oportunidad de registrar su razón social.

Mick afirma que lo contrario es cierto. "No entre en modo cauteloso", afirma. "En cambio, comparta su historia. En Australia en particular, tenemos una mentalidad de inventores que no es tan común como en los Estados Unidos. En otras palabras, pensamos que la 'invención' es todo, y la mantenemos confidencial. Pero, de hecho, la colaboración y la 'innovación abierta' son un nuevo enfoque que tiene mayor probabilidad de ser adoptado en los Estados Unidos, y que da como resultado un mejor producto debido a que muchas personas contribuyeron con ideas para mejorarlo. Es por eso que usted no puede retener una idea y conseguir acuerdos de confidencialidad. Esto no funciona en la etapa inicial de un negocio".

Existen más factores que una gran idea para ser exitosos en una empresa. Muchas personas tienen ideas grandiosas pero pocas tienen las habilidades, deseo y determinación para ejecutarlas. "Cuando usted adopta la mentalidad de un inventor, piensa que la idea es todo. En realidad es la ejecución de la misma lo que constituye un todo".

"En las etapas iniciales de una empresa", dice Mick, "usted necesita compartir sus historias tanto como le sea posible". Esto con el fin de:

Obtener y reaccionar a la retroalimentación sobre su idea. Es muy valioso obtener retroalimentación sobre su concepto lo más pronto posible. Usted debe hacer esto antes de hipotecar la casa de su familia para desarrollar su negocio, tan solo para descubrir que su proyecto en realidad no va a funcionar. Esta retroalimentación incluye sugerencias de otras personas con quienes usted deba hablar, o recibir alertas acerca de otros productos similares.

Afinar la forma en que narra su historia. Nárrela múltiples veces a tantas personas como sea posible. Simplemente es una buena práctica que le ayudará a definir el mensaje que funciona y a emocionar a otros. Además le revelará los mensajes que a veces se pierden.

MÁS QUE UNA HISTORIA DE LANZAMIENTO

Mientras la mayoría de historias de lanzamiento están dirigidas a inversionistas, Mick señala que usted está promocionando todo el tiempo. Estas micro promociones deben ser adaptadas a las prioridades y expectativas de la persona a quien van dirigidas.

"Los inversionistas quieren escuchar acerca de la proyección de ingresos, pero a los clientes no les importa si usted obtiene una ganancia. Ellos desean saber si su producto los ayudará o si usted tiene un excelente servicio al cliente. También debe ofrecérselo a su esposa, ella desea saber si usted podrá pagar la renta el próximo mes. Sus empleados quieren saber si han tomado la decisión correcta al trabajar con usted en esta puesta en marcha en lugar de escoger la seguridad de una compañía establecida".

Concéntrese en el mensaje central cuando revise su historia, pero adáptela dependiendo de la persona a quien se la esté narrando.

La regla de los 100 cafés

Mickle aconseja a todos los fundadores de empresas que se tomen 100 cafés. Este no es un plan malvado para que se vuelvan adictos a la cafeína. Es darles 100 oportunidades de compartir su historia. "Las primeras 20 veces que usted narra su historia, la mayoría de personas lo ignoran", dice Mick. "Para el momento en que ha contado su historia 50 veces, ya es más fuerte. Esto debido a que para entonces, usted se habrá enfrentado con cada objeción que se ha cruzado en su camino y habrá trabajado en cómo superarlas, ya sea afinando su idea de producto o negocio, o narrando su historia de una mejor forma.

Si usted no hace esto, y la primera vez que comparte su historia es en la presentación formal con Power Point en un salón lleno de inversionistas, entonces usted se habrá perdido de los 100 pequeños pedazos de retroalimentación que pueden hacer la diferencia".

Es posible que la historia con la que usted finaliza sea irreconocible, comparada con la que empezó. Con cada repetición, su historia y su producto mejoran. La repetición de historias contribuyó al éxito de Steve Sammartino en el arranque de Rentoid.com., mejor conocida como eBay, un sitio web en el cual usted alquila cualquier cosa, desde bolsos e instrumentos musicales hasta rocolas y embarcaciones. La gente paga una pequeña cuota para mostrar los elementos en alquiler a un precio acordado, mientras que los arrendadores pagan una cuota de alquiler directamente con el propietario del elemento. (Steve también es el bloguero detrás del popular Startup Blog en startupblog.wordpress.com).

Fundada a comienzos del año 2007, Rentoid.com tuvo un flujo de caja positivo antes de finalizar su primer año. Esto estaba en completo contraste con la experiencia previa que tuvo Steve de hacer el lanzamiento de una bebida antiestrés en el año 2005, que no solo no produjo ganancias, sino que le costó la pérdida de su casa.

"Tenía en mente un lanzamiento a largo plazo con la bebida antiestrés", dice Steve. "Quería hacer las cosas de la forma tradicional. Obtuve una inversión de capital de riesgo y quería estar seguro de que todo era perfecto antes del lanzamiento. Aunque intercambié ideas, siempre quise mantener una o dos bajo la manga. Entendí que esa vieja forma de hacer las cosas no es efectiva en el mundo de hoy, en donde existen métodos mucho más rápidos de puesta en marcha". Steve comenzó a trabajar en el negocio en el 2005, pasó todo el año construyendo el negocio e hizo el lanzamiento a comienzos del 2006. "Estaba fuera del negocio antes de finalizar el año 2006", dice. "Terminé viviendo con mis padres".

Steve decidió hacer las cosas de forma muy diferente con Rentoid.com. Esto en parte debido a que no invirtió un camión lleno de dinero para iniciar el negocio. "En esta ocasión decidí tener una repetición mental. Quería compartir la idea y salir al mercado lo más rápido posible. Entendí que eso era más importante que hacerlo perfecto. Usted comparte su historia, captura la atención de la gente, obtiene sus comentarios y luego puede repetir y mejorar".

Steve también estuvo en contra de tener financiamiento con capital de riesgo. "Yo solía hacer un blog acerca de cómo encontrar nuevos factores de producción que fueran democratizados y baratos. Me di cuenta que en realidad tenía que hacer aquello de lo que estaba hablando. Tuve que adoptar esa historia", afirma Steve, quien más adelante puso en marcha por menos de $1.000 dólares elance.com usando un desarrollador en Moldova. En contraste con el año de desarrollo previo de Steve, la idea de Rentoid.com fue lanzada después de 30 días de haber sido concebida. Él ha usado su blog en cada etapa de su viaje, compartiendo sus ideas y planes, éxitos y fracasos de su negocio.

Steve cree que esto es particularmente útil en el ambiente de los negocios de hoy en día, en especial si se trata de crear un negocio que resulte ser un concepto nuevo para la gente. "Pienso en la vieja forma de narrar historias de cómo llegamos hasta aquí", dice. "En el mundo nuevo estamos tratando de contar historias de cómo se ve el futuro. Eso es lo que los creadores inteligentes hacen, ellos narran una historia de cómo quieren que se vea el mundo".

De esta manera usted se encarga de pintar una visión de cómo sus clientes usarán su producto. Hace 10 años, no se conocía un portal en internet para el alquiler de cualquier cosa, desde fotocopiadoras hasta Ferrari. Tampoco se sabía de una aplicación que le permitiera "registrarse" a un lugar usando su teléfono inteligente y ganar puntos que puede redimir por bebidas o descuentos. ¿Y en ese entonces quién habría pensado que algún empresario trabajaría en forma remota con un equipo de colaboradores esparcido por los continentes, y compartiría archivos en Google Apps, y se comunicaría por Skype?

Cuando usted se encuentra en el límite de algo, no solo está negociando con nuevo territorio, sino introduciendo a todos los demás a un nuevo campo de acción. "Usted debe permitir que esta gente, que sus clientes, todos sean parte de su historia", afirma Steve. "Debe permitirles darle forma al futuro".

Sus clientes no son los únicos que le ayudan a moldear su futuro. Steve es un ejemplo ideal que ilustra el concepto de que *usted debe crear su propia historia*. Por ejemplo, si no tiene una increíble atracción por los medios de comunicación, genérela. Si no tiene el testimonio convincente de un cliente, cree una situación en la cual su cliente se sienta feliz con su servicio o producto para que pueda contarles a otros cómo su producto funciona y por qué tiene demanda.

Eso no significa que usted deba fabricarlo. No del todo. Cuando Rentoid.com empezó, sufrió del típico argumento del huevo y la gallina: "La gente no podía alquilar elementos a menos que hubiera clientes dispuestos a alquilarlos". Para superar esto y obtener el empuje necesario, Steve "inventó la demanda".

"Yo alquilaba cosas de las que la gente tenía listadas para rentar en el sitio", dice. "Aun si en realidad no deseaba rentarlas, iba en persona a conocerlas, alquilaba la máquina de coser, la llevaba a mi casa por un fin de semana y luego la devolvía, porque sabía que una vez que lo experimentaran, mis clientes aceptarían el concepto de mi negocio, se emocionarían y entonces los vería poner otro elemento en la lista de cosas para alquilar".

Steve también creó la demanda en la otra dirección. Después de recolectar catálogos de las principales tiendas por departamentos, identificó los elementos que él consideraba tendrían demanda en su alquiler. Hizo un listado de esos productos en la página y cuando la gente los alquilaba por el sitio web, él iba y los compraba en la tienda por departamentos. "Luego los alquilaba y le daba al cliente una experiencia excepcional. Después de la transacción, vendía los artículos en eBay por aproximadamente el 80% del precio al por menor y recuperaba mis costos.

Tuve que hacer algunas pocas cosas riesgosas para probar que existe un lugar para este servicio en la sociedad. Y si usted tiene una puesta en marcha, debe estar preparado para contribuir con algunas de las piezas para construir la historia. No espere a que la historia se desarrolle. Usted es el narrador, es su lanzamiento, y usted tiene el poder de crear cualquier historia que desee narrar al respecto".

Sus acciones

Su historia promocional

Cuando su empresa está centrada en un nuevo concepto, suele ser estimulante. Las posibilidades son ilimitadas, la oportunidad de escalar también es ilimitada y usted piensa que en realidad su idea va a ser la próxima gran creación. Y es probable que lo sea, pero llegará allá solo si los demás entienden la razón por la cual usted está emocionado. Así que tómese un calmante, considere la visión de un extraño acerca de su lanzamiento e imagine que necesita explicar su negocio a un escéptico. Siga los siguientes pasos o descargue la plantilla de su historia de lanzamiento en la sección de recursos exclusivos en www.powerstoriesbook.com

◊ ¿Sabe expresar con claridad cómo su idea o negocio soluciona un problema?

◊ ¿Puede demostrar que va a mantenerse vigente por un largo plazo?

◊ Use las respuestas de los puntos 1 y 2 y cree su discurso general.

◊ Ahora adapte su discurso a diferentes grupos, tales como sus clientes, familiares y empleados.

◊ Empiece a compartir esos 100 cafés.

7

La historia de su producto

¡**L**o confieso! ¡Tengo un fetiche! Es limpio. Es simple. Es tan seductor. Y pagaría cualquier cosa por él.

Estoy hablando de... papelería. Sí, así es, papel, pero no cualquier papel. Cuadernos hermosos con páginas en blanco listas para ser tocadas. Lienzos lisos, vírgenes, esperando a ser manchados con la primera gota de tinta.

He tenido esta afición por años. Venga a mi casa y encontrará cajones llenos de cuadernos en blanco, en todas las formas y tamaños. Cubiertos en cuero, tela, seda bordada, grabada con estampado en oro, y más recientemente, grabados por láser.

Sé que no soy la única persona en el mundo con una inclinación hacia los cuadernos en blanco. Y si usted también es así, entonces entiende lo romántico de comprar un Moleskine. Así como el potencial de esas páginas en blanco juega parte en la seducción, así también lo es la historia detrás de la experiencia de Moleskine. La recordará cada vez que abra el envoltorio de plástico que protege su libreta Moleskine nueva, y un pequeño folleto caiga de entre sus páginas, conteniendo su historia impresa y narrada en inglés, con traducción al francés, español e italiano.

Con seguridad ya la ha escuchado antes: "El cuaderno legendario...usado por artistas y pensadores durante los dos últimos siglos, entre ellos: Vincent van Gogh, Pablo Picasso, Ernest Hemingway y Bruce Chatwin".

Existe un atractivo ligado a la idea de estar usando las mismas herramientas creativas de estos grandes artistas. Es la ilusión de creer que lo que usted registra en esas preciosas páginas, palabras, bosquejos, ideas, puede algún día tener la misma altura que la que ellos alcanzaron. Verá la referencia a estos artistas en blogs, club de fans, y los comentarios de los aficionados a Moleskine de todo el mundo. Es una estrategia de mercadeo que evidentemente funciona. Los Moleskinos se venden a través de unos 22.000 distribuidores, y sus ganancias pasaron de $80 millones de euros en el 2006, a más de $200 millones de euros en el 2010.

Cada vez que un pequeño folleto cae de un nuevo Moleskine, movemos nuestro pulgar sobre las páginas del cuaderno, olemos su frescura de las nuevas hojas de papel y ponemos nuestra mirada de nuevo sobre la historia. Y esas palabras saltan: "Cuaderno legendario... Vincent van Gogh...". Pero dejemos el romance a un lado y léamoslo de nuevo, con todo el cuidado. Sigamos adelante. Leamos la frase completa. Dice:

"Moleskine, el heredero del legendario cuaderno de notas utilizado por artistas e intelectuales de los dos últimos siglos, desde Vincent Van Gogh a Pablo Picasso, pasando por Ernest Hemingway y Bruce Chatwin".

"Heredero". No el real. Eso no sería posible porque Moleskine empezó su producción en 1997, en una empresa pequeña de Milán llamada Modo&Modo. Para esa época Van Gogh, Picasso, Hemingway y hasta Chatwin, hacía rato habían desaparecido, y no se puede comprobar si eran verdaderos fanáticos del cuaderno.

Muchos artistas a finales del siglo XIX y a comienzos del siglo XX utilizaban pequeñas libretas negras que eran muy comunes en Europa en esa época. Pero la asociación de Moleskine con esos artistas es casi como decir que la popular biblioteca Billy desmontada de IKEA (encontrada en casas de huéspedes y en todos los dormitorios de estudiantes alrededor del mundo) es la "heredera" de una usada por Mozart. Es probable que él no tuviera una biblioteca parecida ni un poco a esta.

El fundador de Modo&Modo, Francesco Franceschi, le confesó a *International Herald Tribune* en el 2004: "Es una exageración. Es mercadeo, no ciencia. No es verdad en lo absoluto".

El mito del "cuaderno de Hemingway" ha sido perpetuado por incontables amantes de Moleskine alrededor del mundo. Esa es la verdad. Y esa es la historia que usted debe creer.

Ya sea que crea o no en la historia de Moleskine, o esté de acuerdo con su "exageración", una cosa sí es verdad, es una idea pegajosa. Quiero decir, seamos serios, es un cuaderno de ejercicios glorificado. Seguro, su tamaño es agradable, puede deslizarlo dentro de su maletín o bolso, y las páginas casi nunca se caerán. Pero seamos reales, Hemingway no lo usó. Es en realidad un gran ejemplo de cómo una historia puede hacer o acabar a un producto. ¿Usted cree que Moleskine sería tan exitoso si fuera publicitado como un cuaderno pequeño, negro, rectangular, con páginas y bordes redondeados algunos de los cuales son pegados y otros cosidos? Claro que no.

Cuando se trata de vender sus productos, vale la pena asegurarse de que usted ha elaborado la siguiente historia poderosa que necesita: la historia de su producto.

¿QUÉ DEBE HABER EN LA HISTORIA DE SU PRODUCTO?

Así que ¿qué incluye la historia de su producto? ¿Qué tal si usted no desea asociar su aparato a un montón de gente famosa muerta, aun si ganara mucha credibilidad? Bien, su historia del producto tiene dos partes que en realidad son bastante diferentes. Estas son:

Su historia interna: creando su producto.

Su historia externa: vendiendo su producto.

Por supuesto, su historia interna aplica solo si usted ha creado el producto, ya sea un objeto tangible (como un forro para el iPhone), algo más efímero (como software) o un servicio (como cuando su contador hace su declaración de impuestos). Si usted juega el papel de intermediario, tal como el de un distribuidor que compra de un fabricante y vende a un cliente, su historia interna puede no ser tan relevante.

Su historia interna: CREANDO SU PRODUCTO

De acuerdo con el cofundador de Twitter, Jack Dorsey, usted puede usar la narración como una parte integral del proceso de creación. Después de que Jack cofundara el servicio de red social difundido en el año 2006, fundó la compañía de pagos electrónicos Square en el año 2009. Durante la reunión de Líderes de Pensamiento Empresarial (Entrepeneurial Thought Leaders) de Stanford Technology Ventures, Jack dijo: "Una de los aspectos más importantes que me ha ayudado, es aprender cómo ser un mejor narrador de historias, y ver el poder que ellas ejercen".

Es vital ponerse en los zapatos de la persona que usa el producto, explicó. Muchos negocios pueden dejarse atrapar por el desarrollo de características y adicionar campanas y silbatos que a lo mejor no sean necesarios o apreciados por los usuarios finales.

"Nosotros pasamos mucho tiempo escribiendo lo que se conoce como narrativas de usuario", afirmó Jack. Esto significa describir la experiencia del usuario. Imaginar quién es, darle un nombre, imaginarse cómo luce. Digamos que usted tiene un usuario a quien llamará Graham. Anticipe las situaciones en las que Graham usará el producto e identifique cómo espera él que el producto le ayude. "No importa si usted está creando un producto relacionado con la tecnología (como Jack hizo con Square) o un aparato más tradicional, cuando lo tenga listo", dice Jack, "será como un juego. Realmente hermoso".

Jack descubrió que obteniendo la historia correcta usted es capaz de simplificar el proceso de creación del producto. Es una manera de reunir todos los aportes diferentes, desde los ingenieros y operaciones hasta mercadeo, para que tengan su papel dentro de la misma historia. "Si usted elabora bien esa historia, entonces toda la priorización, todo el producto, todo el diseño y toda la coordinación que necesita, llegan de forma natural...todos logran relacionarse con la historia desde los distintos niveles de la organización".

No tiene que ser una compañía multimillonaria, como Twitter o Square, para usar la narración en la creación de su producto. Si es una empresa pequeña creando un producto nuevo que requiere aportes de proveedores, contratistas y empleados, todos ellos deben entender el panorama.

Ellos necesitan ver qué papel están jugando en la historia en general con el fin de desempeñarlo conforme a lo que se espera.

Cuando usted es un empresario, debe tener una idea clara de cómo todos encajan en la historia. Puede que tenga todo el panorama en su mente y sepa con exactitud qué se requiere para lograrlo y por quiénes, aun si usted es un controlador que le gusta ser el titiritero y halar de las cuerdas de cada uno de sus personajes, lo cual es demasiado agotador, y además constituye un gran riesgo, pues si usted se enferma o se incapacita, el show no continúa.

Por eso es útil considerar la creación de un producto como una obra de teatro en donde usted es el director. Usted entrena a todos con una visión general de lo que desea alcanzar, le asigna a cada uno su parte y los empodera con un gin que les servirá de guía general de la historia.

Como director, aun usted da forma y guía a su progreso, pero si llega la noche del estreno, la historia será contada, aun si usted no llega a estar presente.

"Queremos narrar una historia épica", afirma Jack. "Queremos solucionar un gran problema real. No deseamos un montón de historias cortas unidas por un hilo. Deseamos una historia épica cohesiva para contarle al mundo. Y tanto Twitter como Square van hacia esa meta".

La historia que rodea la creación de su producto tiene menos que ver con creatividad que con claridad. Se trata de tener un entendimiento claro de lo que es el producto y de lo que se espera alcanzar.

Su historia externa: vendiendo su producto (las 4 Bs)

Una vez que tiene el producto listo para la venta, es cuando la creatividad se da paso, y es aquí en donde usted experimenta las 4 Bs, ya que, dependiendo de qué tan complejo o no sea su producto, debe considerar usar alguna o todas estas historias.

Breve explicación

Parece simple, pero la cantidad de propietarios de empresas que no logran explicar su producto dentro de una oración simple, me asombra. Me aguanto hasta en dos oraciones.

Hace poco, una propietaria de una pequeña empresa (la llamaremos Lydia) vino a mí por consejo acerca de su negocio. Lydia dijo que tenía una gran idea pero que no estaba obteniendo la acogida que tenía. "No tengo problemas en lograr reunirme con personas. Asisto a innumerables reuniones cada semana, pero nadie se ha animado. No sé qué es lo que estoy haciendo mal", afirmó ella.

Le pedí que me hablara sobre su producto. Ella empezó a hablar, y 20 minutos después, con la mayor amabilidad, la interrumpí y le pedí que se detuviera.

"¿Es esta la explicación que das cuando asistes a reuniones?", le pregunté.

Ella asintió.

La miré, sin estar del todo segura de cómo decirle lo que deseaba. Pensé en algo como: "¿Estás bromeando? Llevas hablando sin parar por 20 minutos y sé que no estás ni siquiera cerca del final de tu explicación, y aun no tengo ninguna pista de qué es lo que vendes".

Ella leyó mi mente: "Lo sé, lo sé. La gente necesita entender cómo funciona, pero esa explicación se toma un tiempo para llegar allá".

Ese era el primer error de Lydia. Cuando uno conoce un producto por primera vez, no necesita entender cómo funciona, necesita entender *qué es* y *qué puede hacer por uno.*

Cuando compro un auto, no me intereso tanto en cómo el control de estabilidad electrónico interactúa con el freno. Yo solo asumo que así es.

"¿Así que puedes ayudarme a hacer más corta mi explicación?", me dijo Lydia.

Le ayudé con su empresa desde ese punto, aunque fuera para salvar a su siguiente prospecto incauto de perder media hora de su vida que jamás recuperaría.

Me tomó varias preguntas, y en cada una ella se sentía obligada a explicarme el funcionamiento interno de su producto. Diferentes frases permearon la neblina de palabras: "subscripción mensual...o es más económica si toma la opción anual...genial para clubes deportivos... grupos comunitarios...excelentes descuentos...dirigido en especial a familias... entre más gente, mejor el negocio... los ahorros pasan a los miembros...diferentes niveles

171

de membrecía...no obligatorio de comprar... es una gran oportunidad...".

Querido Dios, por favor permite que esta larga explicación termine.

Cuando Lydia por fin respiró, traté de darle sentido a la ensalada de palabras que me había lanzado. Aun sin estar segura de haber entendido, me aventuré a adivinar.

—"¿Eso me suena como a un programa de fidelización?, pregunté.

Ella se detuvo, casi se fue para atrás. "Bueno, sí, supongo que lo es".

—"¿Y cuando la gente se inscribe recibe... descuentos?".

Ella asintió sonriendo satisfecha, como si lo hubiera logrado.

—"¿Y esos descuentos son en cosas...que son buenas para...familias?".

—"Bueno, eso es lo que realmente debería decirle a la gente, ¿verdad?".

Lydia pareció energizada por esta revelación y comenzó a reunir sus folletos, hojas de hechos y formatos de aplicación. "Tengo que empezar", dijo. "Muchas gracias por su tiempo. Ha sido de gran ayuda. ¡Debo programar más citas!". Y con eso se despidió.

Ahora, usted no necesita una sesión conmigo para realizar una breve explicación de su producto. Apenas sí dije alguna palabra. Lydia se dio cuenta por sí misma. Es sencillo, se resume así:

◊   ¿Cuál es su producto?

◊   ¿Cómo ayuda a la gente?

Si se da cuenta que su explicación se asemeja a un comentario interminable de Eddie McGuire, más que a una breve descripción de su producto, entonces necesita seguir decantándolo hasta que logre responder a cada una de esas dos preguntas en una sola oración.

Brote de una idea

Una nota de $100 trillones. ¡Estoy sosteniendo una nota de $100 trillones! Eso es $100.000.000.000.000. En serio. Mire todos esos ceros. Se la devolví a Tony Wheeler, quien la deslizó dentro de su billetera, moviendo su cabeza ante el hecho de que la inflación en Zimbabwe puede resultar en dinero de papel con números que apenas caben en el papel en el que están impresos. Tony dijo: "Hace apenas 2 años, la nota de cien trillones valía unos $30 dólares. Un semestre después, estaba avaluada en $0,30 centavos de dólar".

El billete de banco fue el último recuerdo de sus viajes, una pasión que dio lugar a Lonely Planet, el imperio de guías, revistas, producción de televisión y aplicaciones móviles. La empresa tuvo su origen en conversaciones que Tony y su esposa Maureen sostuvieron con gente en Australia, después de haber viajado por tierra desde Londres hasta Sídney en 1972. Luego de ser interrogados en busca de consejos sobre dónde hospedarse y qué visitar, la pareja decidió tomar notas detalladas que Tony guardó durante el viaje y luego las convirtió en un libro.

Su primer libro, *A través de Asia con gastos mínimos (Across Asia on the cheap)*, salió a la luz en octubre de 1973 con un precio de $1.80 dólares australianos. Fue escrito e improvisado en casa, y distribuido personalmente en las librerías. Quinientas guías de destino más tarde, Lonely Planet se ha convertido en una fuerza dominante en la industria de las guías de viaje. Los Wheelers vendieron la empresa a la BBC (75% en el 2007 y el resto en 2011).

La historia del nacimiento de esta empresa se ha convertido en legendaria, y hasta ha inspirado unas memorias de viaje escritas en el 2011, *Tell Them to Get Lost – Travels with the Lonely Planet Guidebook that Started It All*, de Brian Thacker, acerca de su viaje a Asia sin ninguna guía sino con una copia original de su primer libro. Es una historia que le da gran credibilidad a Lonely Planet y sustenta el propósito de la compañía. Los aficionados a las guías de Lonely Planet no están comprando tan solo un libro lleno de listados, están comprando estilo de vida, uno que representa libertad, aventura y viaje.

Aun si su historia no es tan exótica como la de Tony, sería poderoso articular la historia detrás del nacimiento de su idea o producto.

¿De dónde salió su idea? Es una pregunta que hacemos a los empresarios todo el tiempo. Y la formulamos porque nos encanta escuchar la historia de cómo un simple pensamiento puede en algún momento convertirse en un producto tangible. Deseamos averiguar cómo comenzó el viaje de un producto. Cuando usted comparte los detalles del "nacimiento" de su producto, le adiciona credibilidad, valor de entretenimiento o simplemente la cantidad correcta de peculiaridad para hacer su producto inolvidable. Incluso si usted no estuvo involucrado en la creación del producto, intente averiguar la historia detrás de la idea. A lo mejor resulta ser la historia que lo conecte con la gente.

Beneficios Vs Características

La última vez que me mudé de casa, quería deshacerme de muchos de mis muebles porque sentía que no encajaban con mi nuevo lugar. Así que deseaba asegurarme de salir de todas mis cosas indeseadas antes del día del trasteo. Fue entonces cuando me volví amiga de eBay.

En esa época era una virgen de eBay. Pero después de mi primera vez, me enamoré y estaba lista para volver por más. Uno de mis primeros listados fue un juego de muebles para el aire libre de tres piezas que estaba en el balcón del apartamento. Cuando lo vendí una semana más tarde, por el mismo precio que lo compré un año antes, estaba enganchada. A las siguientes dos semanas vendí el sofá, un armario de ropa, la mesa del comedor, una mesita de sala y una bolsa de boxeo, todos con casi el mismo precio a los que los compré. Tuve que detenerme a mí misma para no vender todo lo que no estaba colgado en mi apartamento. ¿En qué país de las hadas de la subasta me había enredado? ¿Por qué no había utilizado este eBay del que tantas personas hablan tan bien?

Mi amiga Vanessa, una asidua usuaria de eBay, me aseguró que esto no era normal. "No puedo creer los precios a los que estás vendiendo toda tu basura". "No es basura", le dije a la defensiva.

Vanessa revisó los elementos que tenía pendientes para vender. "¡Increíble, son tus descripciones! ¿Quién escribe de esta manera?".

Desde entonces me he dado cuenta que un juego de tres piezas para el aire libre debe describirse así:

Juego exterior de 3 piezas

"Mesa redonda con marco de aluminio y vidrio blanco encima. Altura 72 cm x ancho 90 cm. Dos sillas de aluminio con silla tejida. 1 año de uso. En excelente condición".

Pero como escritora, no pude evitar contar una historia, así que escribí algo como esto:

"Imagínese llegar a casa después de un largo día y relajarse en su juego para exteriores con una copa de vino en su mano mientras contempla el atardecer, quitándose el estrés de su día de esta manera. Imagínese cenando al aire libre bajo la luz de las velas con amigos en las tardes de cálido verano. O relajándose con los periódicos del fin de semana y una taza de café recién preparada mientras toma el sol de invierno.

Con una mesa de vidrio en óptimas condiciones, este juego solo tiene 12 meses de antigüedad. Fácil de limpiar, con marcos de aluminio verde que se adecúan a cualquier ambiente exterior. Yo uso mi juego de exteriores en mi balcón de inspiración balinesa. Este clásico diseño será ideal, ya sea que tenga un pequeño espacio o que desee crear un rincón intimo en un área mucho más grande...".

Usted ya entendió la idea. No conozco otra forma de hacerlo. Entiende que esa no es la forma en la que la mayoría de personas promociona sus artículos en eBay, pero parece que me estaba dando resultados, lo cual demuestra el poder de la historia. No estaba tan solo listando una serie de características, estaba ayudando a posibles compradores a visualizar lo que podían hacer con el juego para exteriores. Me concentré en los beneficios del juego, no en las características. Y las ofertas aparecían subiendo y subiendo. ¡Sé que no me voy a ganar un premio de literatura por eso, pero me da buenas ganancias por los artículos que no deseo tener!

Cuando usted narre una historia sobre su producto, considere si son las características o los beneficios lo que van a resonarle más a un posible comprador. En la mayoría de los casos, tiene más poder explicar los beneficios. Vea estos dos ejemplos:

Un micrófono...

"Características: Micrófono DVCam de condensador direccional.

Beneficios: Este micrófono es genial si está usted entrevistando a alguien y no desea capturar el ruido del fondo".

Un producto para el cuidado de la piel…

"Características: Esta fórmula contiene peróxido benzoico para penetrar en los poros.

Beneficios: Contiene ingredientes que le ayudan a obtener la piel que usted desea de inmediato".

Cuando describa un producto o servicio, explique sus beneficios, el impacto que va a tener en la vida de sus clientes. No quiero decir con esto que no deba incluir las especificaciones técnicas, ya que pueden ser importantes, pero también asegúrese de narra una historia.

Marca

Narre historias que refuercen su marca. Por supuesto, eso quiere decir que debe tener claro lo que significa su marca. En los términos más sencillos, su marca es lo que la gente dice de usted cuando usted no está cerca.

"Ellos son muy agradables. A la moda. Muy elegante. Gran diseño".

"Increíble servicio postventa. Ellos hacen todo lo posible por ayudarte. Son tan agradables".

"Muy cortés. Muy conservador. Cada cliente recibe una nota de agradecimiento en papel estampado".

"Son costosos, pero son los mejores".

"Tan económico, ¡es genial! Compra 10 de todo. Y puede negociar. Pero no espere que lo atiendan de afán".

¿Qué significa su marca? Imagínese las conversaciones que sostiene la gente acerca de su negocio cuando usted no está. La parte espantosa es si usted imagina estas conversaciones pero no le gusta lo que está escuchando. Si ese es el caso, entonces ya sabe que algo está mal y debe empezar a reparar su marca.

Así que decida las conversaciones que quiere escuchar. Suponga que su negocio está justo en el lugar que usted desea que esté: el área de operaciones ágil, el servicio al cliente es el mejor que ha tenido y tiene un rango de productos de ataque. Aun si no ha alcanzado todavía este punto, imagínese las conversaciones que la gente tiene acerca de usted. Luego asegúrese de que las historias de producto que narre, refuercen la marca como usted lo desea.

Así que ¿cómo se ve en actualidad? Bien, si su marca es "buen valor" y "rentabilidad", sus historias deben incluir un relato de cómo usted ha asegurado un envío al por mayor de productos de manera que consiga trasladar a sus clientes sus ahorros en costos. Si su marca es lujo y elegancia , entonces querrá enviar mensajes por Twitter o publicar fotografías de sus productos en su blog, en eventos elegantes, o siendo exhibidos por personas de la alta sociedad.

DESCRIPCIONES DE PRODUCTO EN LÍNEA

Uno de los lugares más importantes en donde la historia de su producto debe aparecer en primer lugar, y ser el centro de atracción, es en su sitio web, en especial si tiene una tienda en línea. Con el público usando cada vez más Google como su primer portal para encontrar productos, usted necesita asegurarse de que la historia de su producto está ahí para convencer y convertir a sus prospectos en clientes, cuando estén buscando información. No dé por hecho que las personas lo llamarán si desean más información o llegarán a su tienda física si quieren asegurarse de ver y tocar su producto. Si su sitio no suministra la información que sus clientes necesitan, *pero el de su competidor sí*, no es necesario adivinar a dónde terminarán comprando.

FERIAS Y EXHIBICIÓN EN TIENDAS

Algunos productos son mejor publicitados en ferias o en exhibiciones en almacenes. Esto tal vez se debe a que la mejor forma de alcanzar a la gente es permitiéndole ver, tocar y sentir su producto. Pero es importante no olvidar sacarle el mayor provecho a la historia de su producto.

He asistido a cantidades de ferias y me sorprendo de que muchas empresas desperdicien su tiempo y dinero estando allí. En algunas ocasiones, me parece que nunca van a hacer algo más grande. Pueden tener el mejor producto del mundo, pero eso es lo de menos si no saben comunicar de qué se trata el producto. Entonces, ¿qué errores hay que evitar cometer, si usted se encuentra en una situación similar?

Utilice señales útiles

En esta época, pegar un gran letrero con su maravilloso logo no lo es todo. Esto funciona si usted tiene un nombre explicativo como Byron Bay Cookie Company. Pero si usted está empezando y ha elegido un nombre tipo Google como Moovr, Kleenr o Mophie, es imprescindible tener una frase que les explique a los clientes qué representa realmente esta invención lingüística.

Elija representantes conocedores

Si desea que sus clientes sepan más de su producto, asegúrese de que sus vendedores están bien versados en lo que éste puede hacer. Ellos necesitan aprenderse la historia de su producto. No permita que suceda una conversación como esta:

Yo: "¿Me explica, por favor, acerca de su producto?".

Ellos: "Ummm... Todavía estamos en prueba".

Yo: "Esta bien, ¿para qué sirve?".

Ellos: "Es como una aplicación".

Yo: "¿Qué hace la aplicación?".

Ellos: "Tenemos casi 10.000 subscriptores".

Yo (usando un camino diferente): "Tal vez podría mostrarme lo que hace su aplicación".

Ellos: "Seguro... En realidad esta pantalla muestra algunas imágenes que unimos ayer. No tenemos una demostración real".

Les ahorraré toda la conversación, pero la idea es clara. Esto sucedió en una feria a la que asistí. Me desconcierta que una empresa desembolse el dinero necesario para separar un stand con exposición a miles de personas de su mercado objetivo y luego simplemente desperdicie la oportunidad contratando esta clase de colaboradores.

Elabore un libreto y la lista de las preguntas más frecuentes

Si usted está reclutando ayudantes que a lo mejor no están al tanto de su producto o servicio, entonces elabore un guion y una lista de preguntas frecuentes y sus respuestas de manera que no parezca que su equipo es un paquete de inexpertos. Recree algunos escenarios y posibles consultas para que sus vendedores tengan alguna práctica respondiendo preguntas sobre el producto.

Asegúrese de tener a mano algún material impreso

Asegúrese de tener algún material publicitario impreso disponible para los clientes que demuestren estar interesados en lo que su negocio tiene para ofrecer. Usted supone que sería genial tener a mano un gráfico impresionante y un maravilloso logo, solo porque se ven bien, pero estaría dando un mal servicio. He escuchado a empresarios afirmar: "Pero si la gente está interesada, puede encontrar todo en nuestro sitio web. ¿Qué sentido tiene replicarlo aquí?".

Mi querido, quiero tomar a estas personas por los hombros y sacudirlas. Si usted es una empresa principiante de la que nadie conoce nada, debe hacer *todo lo que pueda* para que la gente se interese en lo que usted hace. A menos que sea tan famoso como Coca Cola, usted necesita elaborar un mensaje atractivo, identificar el problema que su producto o servicio va a solucionar, y darle a quienes muestran interés una razón para visitar su sitio y saber más.

Las ferias resultan siendo oportunidades extremas y valiosas para conocer nuevos clientes y prospectos. Usted va a tener la opción de hablar con ellos uno a uno. Va a hacerles demostraciones de su producto y a obtener retroalimentaciones inmediatas sin tener que hacer una sola llamada, pero no crea que es cuestión de seguir adelante y esperar lo mejor. Ya que cada prospecto de cliente es una circunstancia que usted necesita aprovechar, entonces: "Constrúyala y ellos vendrán".

Si desea sacarle provecho a cada oportunidad, asegúrese de elaborar la historia de su producto y también asegúrese de saber narrarla. Esta historia poderosa le ayudará a presentar su producto de la mejor manera y así obtendrá una nueva legión de seguidores.

Veo tantos propietarios de empresas descuidar la narración cuando se trata de sus productos, pero esa es una historia poderosa que usted no debe pasar por alto. No le prestamos la atención suficiente a nuestros productos y sus historias debido a que es fácil relegarlos a simples artículos que deben ser descargados en el inventario. En algunas ocasiones, sus productos tienen una historia única, propia de ellos y con un profundo impacto sobre las personas. Si usted de verdad desea incrementar las ventas y crecer en su negocio, es vital identificar y compartir esas historias.

Sus acciones

La historia de su producto

Ponga su producto en frente suyo. Si está vendiendo un servicio o un elemento intangible como software, utilice un objeto que lo represente. Está a punto de crear la historia de su producto. Siga los siguientes pasos o descargue la plantilla para su historia del producto en la sección de recursos exclusivos en www. powerstories.com.

◊ ¿Quién usará su producto? Si está creando un producto o servicio, cree la narrativa que describa a sus clientes: ¿quiénes son? ¿Qué edad tienen? ¿Cómo usarán el producto? ¿Qué les gustará y les disgustará del producto?

◊ ¿Ha escrito descripciones breves de sus productos? Piense en ellos. ¿Cuál es el argumento de ventas de cada ítem?

◊ ¿Su producto tiene una historia peculiar o fascinante detrás de su creación? ¿Cuáles son los lugares ideales para narrar esta historia? (etiquetas en la ropa, sitio web, folletos en el almacén, video en YouTube).

◊ Escriba una lista de las características del producto, luego explique cómo beneficia a las personas con estas características.

◊ Identifique las historias acerca de su producto que reforzarán su marca.

8

Su historia como líder

Emma Stevenson dejó su vida en Australia y se dirigió hacia Nueva York en marzo del 2012. Tomó la decisión de trasladarse al otro lado del mundo tan solo 4 semanas antes de subirse al avión. Se despidió de sus amigos, familia y carrera en Newcastle, a dos horas de Sídney, para iniciar una nueva vida. A ella no le importaba si iba para Nueva York o para Nueva Delhi. Ella iría a cualquier lugar para trabajar con *charity: water*. Sin ningún pago.

Es un gran paso para una mujer de 24 años que estaba trabajando como profesora de colegio antes de tropezarse con la historia de Scott Harrison de *charity: water*, mientras realizaba una búsqueda en internet.

"Leí su blog durante horas y revisé todas las fotos de las personas cuyas vidas han cambiado como resultado de su trabajo", dijo Emma. "He visto sus videos e historias de campo. Cuando usted ve niños bañándose por primera vez... eso no tiene precio".

Fue una historia que la inspiró a cambiar de continente y a dedicar su tiempo a trabajar por esa causa sin remuneración. Gracias a un familiar amable que le dio $9.000 dólares, ella ha podido darse el lujo de hacer esto mientras encuentra la forma de ganar un ingreso.

Era el Día Mundial del Agua (22 de marzo) cuando llegué a las oficinas de *charity: water* en el bajo Manhattan, Nueva York. Las oficinas parecían más una galería de arte que una organización sin ánimo de lucro. Pero las obras de arte exhibidas en las grandes paredes blancas no eran lienzos modernos con temas postmodernos creados por artistas emergentes de Nueva York. Eran fotos inmensas de personas en pueblos remotos de países en desarrollo, accediendo a agua limpia por primera vez en su vida. Mostraban caras jóvenes bebiendo agua de bombas y torres de perforación que extraen de las fuentes subterráneas de agua potable recientemente instaladas. Una gran pantalla muestra los tweets recientes cada vez que alguien publica uno acerca de *charity: water*. Filas de galones amarillos, el símbolo de esperanza de la organización, delinean la pared.

Allí Emma permanece en su oficina hasta la noche, contribuyendo con ideas, trabajando fuerte y disfrutando cada minuto. "Esto es mucho más que una pasantía" afirma ella. "Esta es una parte muy central de mi vida".

Esta es la clase de lealtad y motivación que a cualquier líder le encantaría ver en los miembros de su equipo, en particular en aquellos que *sí* reciben salario. Tal compromiso puede resultar de una autentica e inspiradora historia de líder. Esta es la historia poderosa que usted debe saber contar si desea que otras personas crean en su visión y le ayuden a hacerla realidad. Pero así se trate de que usted es el líder de una organización de caridad, de una pequeña empresa o de una gran organización, los cinco elementos para su historia de liderazgo son los mismos:

◊ Mostrarle a la gente quién es usted.

◊ Definir qué hace diferente su negocio u organización.

◊ Inspirar a los demás a la acción.

◊ Educar e informar.

◊ Compartir mensajes simples.

MOSTRARLE A LA GENTE QUIÉN ES USTED

Antes de que sean persuadidas a ir detrás de su visión, las personas necesitan conocerlo y confiar en usted. Así que si no son allegadas suyas, permítales conocerlo. Esto quiere decir, revelar aspectos de su vida o experiencias que demuestren lo que tiene valor para usted, lo que es importante y cuáles son sus valores.

Generalmente, un líder tiene una visión: llevar agua limpia a comunidades que carecen de ella, impulsar una comunidad, salvar un parque nacional o motivar al equipo durante un periodo difícil en los negocios. Como líder, usted puede pensar que su visión es obvia y no imaginar que alguien no esté de acuerdo con ella. Al fin de cuentas, todos deseamos agua potable para beber y salvar los parques, ¿verdad? Si una empresa está luchando debido a su situación económica, ¿no desea todo el mundo empujarla para que los empleados logren mantener sus trabajos?

La respuesta corta a esa pregunta es: no. La gente tiene diferentes prioridades. Cada persona tiene una agenda diferente y cada uno tiene una opinión distinta de lo que constituye una visión que vale la pena. Usted puede tener la visión más noble del mundo, pero es cuestionable, si no tiene el apoyo necesario.

Ese fue el reto que enfrentó Scott Harrison cuando decidió que quería hacerle frente a la crisis mundial del agua. Nació en Filadelfia y creció en New Jersey, Scott pasó la mayoría de sus 20s como promotor de una discoteca, llevando una existencia decadente, rodeado de bebida, drogas y vida fácil. A los 28 años tuvo una crisis de conciencia. Se sintió en bancarrota a todo nivel: emocional, espiritual y moral, y decidió que su vida debía cambiar.

Scott viajó a África como fotógrafo de revistas con la organización benéfica Naves de Esperanza (Mercy Ships), la cual maneja buques hospitales liderados por médicos, odontólogos y otros profesionales de la salud que sirven como voluntarios, que proporcionan cirugías gratuitas en los países más pobres del mundo. Fue durante su estadía en Liberia que Scott fue consciente de la crisis de agua. Allí pudo ver pozos contaminados con gusanos y entendió que esos eran la fuente primaria de agua para muchas personas. Investigando más a fondo, Scott descubrió que el 80% de las enfermedades eran causadas por la falta de agua potable y la mala esterilización de elementos salubres.

Después de pasar un par de años como voluntario en Naves de Esperanza, Scott regresó a Nueva York con su corazón ardiendo por transformar el mundo. "Todo cambió para mí cuando bajaba por ese pasillo. Nunca más fumé otro cigarrillo, y eso que me fumé dos paquetes diarios durante 10 u 11 años. Renuncié al juego, a la pornografía, no volví a un club de desnudistas, y dejé todas las drogas", dice Scott en una entrevista con Kevin Rose, una personalidad de los medios.

"Deseaba hacer dos cosas antes de morir. Quería estar seguro de que todas las personas en la Tierra tuvieran acceso a agua potable...y realmente quería darle a la gente un beneficio en el cual pudieran creer. Deseaba reinventar un espacio para la gente de mi edad que estaba hastiada y era cínica".

Para Scott Harrison, una parte esencial de su historia es que solía vivir como un animal de fiesta hedonista que bebía, se drogaba, apostaba, y gastaba su fortuna. Es una parte importante de su historia debido a que su cambio fue dramático. Nos muestra de dónde vino y qué aprendió de la experiencia. La gente es fascinada: todos indagan, lo entienden y quieren apoyarlo.

Si usted es un líder, los días de esconderse en una torre de marfil ya pasaron. Debe permitir que la gente lo conozca y entienda lo que usted representa. Sus historias no pueden ser nada más acerca de sus planes y ambiciones, asegúrese de que también hablen de usted. Pero no caiga en la trampa de pensar que una autobiografía cronológica hará la magia. En cambio, concéntrese en las historias que revelan los que usted cree y por qué hace lo que hace. Estas son a menudo historias acerca de los puntos de retorno en su vida, cómo superó los desafíos y por qué ha elegido el camino en el que está.

DEFINA QUÉ HACE DIFERENTE SU NEGOCIO U ORGANIZACIÓN

Si desea recibir apoyo para su organización, el vehículo a través del cual usted logrará su visión, entonces la gente debe confiar en la organización además de confiar en usted, necesitan saber lo que significa hacer negocios con su empresa. ¿Cómo serán tratados? ¿Cómo son tratados sus empleados? ¿Qué clase de trayectoria tiene?

Scott empezó con *charity: wáter* en el 2006, durante su cumpleaños número 31. Organizó una fiesta, invitó a 700 amigos y a cada uno le cobró $20 dólares. Reunió casi $15.000 dólares, suficiente para cavar 3 pozos en Uganda, y envió fotos del lugar en donde fueron construidos a todos los asistentes a la fiesta para que pudieran ver lo que su dinero había logrado.

Así comenzó *charity: water,* una organización sin ánimo de lucro que lleva agua potable a países en desarrollo. Empezó modestamente, desde su sala de estar, pero Scott tenía claridad desde el comienzo en que para cambiar el mundo debía construir una marca poderosa. "Pensé: si vamos a resolver un problema tan grande como la crisis mundial del agua, necesitamos una marca épica", afirmó. Esto debido a que Scott tiene ambiciones heroicas.

Para finales del 2011, *charity: water* le había suministrado agua potable a 2 millones de personas. Su meta para el 2020 es llegar a 100 millones de personas. De acuerdo con *charity: water,* una de cada nueve personas en el mundo no tiene acceso a agua limpia. Eso significa que cerca de 1.000 millones de personas solo tienen acceso a agua que puede estar contaminada de un río, zanja o pantano a una distancia de 3 a 4 horas de caminata.

Desde su humilde comienzo, *charity: water* cuenta con 26 empleados y un equipo de voluntarios. Para que su organización funcione Scott debe inspirar a su equipo a que vayan tras su visión, y juntos esparzan la historia de *charity: water* para inspirar a otros a hacer lo mismo.

No hay discusión en que para todas las organizaciones benéficas la meta es noble. Sin embargo, el sector de organizaciones sin ánimo de lucro a menudo es criticado por la alta proporción de los fondos recaudados que se pueden desviar a los gastos administrativos. Scott corta este problema de raíz con una política que dice que el 100% de las donaciones públicas son abonadas directamente a proyectos de suministro de agua en el campo. Todos los gastos operacionales, tales como salarios y alquiler, son financiados a través de donantes privados y patrocinadores.

Es muy fácil para los cínicos que visitan las oficinas de *charity: water* pensar de otra manera. Después de todo están ubicadas en un lugar exclusivo de Nueva York y se ven muy bien. Pero hasta los más desconfiados entienden la historia verdadera tan pronto ingresan por la puerta, en donde está una placa que dice:

◊ Newmark Knight Frank nos dio un increíble lugar que jamás podríamos pagar.

◊ Steelcase dotó nuestras oficinas con escritorios, sillas y tableros.

◊ InterfaceFLOR redujo el ruido mediante la donación de baldosas de alfombra.

◊ Cisco nos donó los teléfonos y servidores de red para mantenernos conectados.

◊ RCN nos obsequió internet gratuito para poder compartir nuestras historias con el mundo.

◊ Castor nos conectó con una fabulosa iluminación.

◊ Thomas Beale construyó nuestra primera sala de conferencias.

◊ Robert Valentine nos ayudó a diseñar nuestro lugar y nos donó sus mejores muebles.

◊ GSG y Peeq Media imprimieron en gran escala fotografías para nuestras paredes.

◊   Compramos una mesa de ping pong porque necesitamos un descanso de vez en cuando.

La organización hace énfasis en su honestidad e integridad financiera. Narra historias claras y dirigidas acerca de "su manera de hacer las cosas" para eliminar la mala interpretación sobre la recolección de fondos y el manejo del dinero.

Como líder, usted posee un conocimiento íntimo de su organización, pero muchas personas no tienen ese lujo. Piense en las historias que necesita contar para mostrar de qué se trata su empresa. Si desea que alguien se convierta en su proveedor clave, debe concentrarse en historias que reflejen sus planes futuros y cómo su participación se ampliará cuando esos planes se hagan realidad. Si desea atraer a un empleado, narre historias acerca de otros empleados y sus viajes con la organización. Y si está buscando negociar con un cliente, sus historias deben reflejar el impacto que su empresa ha tenido sobre la vida de otros clientes.

INSPIRAR A LOS DEMÁS A LA ACCIÓN

Una vez que ha propiciado una conexión, es muy probable que quiera que la gente entre en acción. Debe darle a la gente las herramientas para lograrlo.

En *charity: water* esto se hace mediante empoderamiento de los patrocinadores regulares para que se conviertan en los héroes de sus propias historias. Lo hacen "comprometiendo" su cumpleaños. *Charity: water* ofrece una plataforma en línea en donde usted puede establecer una página para donaciones y pedir a sus amigos que donen dinero en lugar de llenarlo con regalos en su gran día. El promedio de "promesas de cumpleaños" es de $1.000 dólares, reunidos de la suma de las pequeñas donaciones de sus amigos. Pero en lugar de que esta donación desaparezca en medio de una piscina de fondos, *charity: water* se asegura de que ese no sea el final de su historia. Usted permanece comprometido porque cuando el proyecto finaliza le envían una dirección URL para una página en internet. Aquí puede ver con exactitud, mediante fotos o videos y un localizador GPS, lo que usted ha construido y en dónde lo ha construido. Puede compartir esa dirección URL con sus amigos que donaron dinero para su cumpleaños, para que deseen ser parte de la historia también. *Charity: water* le facilita convertirse el héroe de su historia. Usted hace la diferencia, y como resultado, lo hace de nuevo el año siguiente.

Como líder, su historia no es acerca de ser un héroe, sino de ayudarles a otros a convertirse en los héroes de sus propias historias. Es primordial empoderar a otros para entrar en acción, pero es igualmente importante apoyarlos cuando lo hagan. Deles palmaditas en la espalda en público, resalte su contribución y comparta sus historias con su comunidad.

Como el niño de 7 años de Austin, Texas, que comprometió su cumpleaños y golpeó las puertas de su vecindario pidiendo $7 dólares para recoger fondos para *charity: water*, recogió $22.000 dólares. O como los tipos que escalaron el monte Kilimanjaro y reunieron $30.000 dólares. O los fabricantes de álbumes de fotografías que recaudaron $50.000. La gente ha reunido dinero haciendo cualquier actividad desde buceo y kitesurfing hasta recorrer

América a pie. Scott afirma: "Historias locas empezaron a aparecer por todo el mundo mientras esta gente decía, 'No tengo mucho dinero para dar, pero tal vez puedo hacer algo bien creativo e involucrar a mi comunidad'".

Rachel Beckwith, una pequeña niña de Bellevue, Washington, había oído la historia de *charity: water*. Rachel dijo que había dos personas en el mundo que quería conocer: Lady Gaga y Scott Harrison. Ella decidió comprometer su cumpleaños número 9, en junio 12 de 2011 a la causa, estableció una página de donaciones y pidió a sus amigos y familiares que donaran en lugar de darle regalos. Rachel esperaba reunir $300 dólares. Llego cerca de su meta recogiendo $220 dólares. Cinco semanas después estuvo involucrada en un choque múltiple de carros y fue llevada al hospital. En julio 23 del 2011 su aliento de vida se apagó. Cuando la noticia se difundió, llegaron donaciones a su página de *charity: water* de todas partes del mundo. Para el 12 de agosto la campaña superó la meta de $1 millón de dólares. Cuando la campaña fue cerrada el primer día de octubre, se habían recogido $1.271.713 dólares, lo suficiente para llevar agua potable a 84.780 personas en países en desarrollo.

EDUCAR E INFORMAR

Una vez que les ha proporcionado a quienes lo rodean las herramientas para actuar, debe comunicarles cómo usar dichas herramientas. De otra manera, es como poner un motor de carro y una caja de herramientas frente a un novato, sin darle ninguna instrucción de qué pasos seguir.

Como líder, usted debe educar e informar con el fin de motivar a la gente. El concepto de comprometer un cumpleaños es bastante difícil de comprender, pero lo líderes a menudo son confrontados con asuntos mucho más complejos. Tal vez usted necesite mostrarle a su equipo cómo usar un nuevo sistema de computador complejo. O quiere lograr que sus empleados le proporcionen detalles específicos sobre sus fondos de jubilación y las opciones de asignación de activos. O quizás debe mostrarle a su equipo de ventas cómo medir el impacto de los impuestos de importación sobre sus márgenes de ganancias.

Si desea que la gente siga determinados procedimientos o procesos, es obvio que usted debe darles instrucciones claras paso a paso. Pero existe una probabilidad mayor de que sus instrucciones sean adoptadas, si las incluye dentro de una historia.

Tomemos el ejemplo del sistema para computador. Puede resultar atractivo documentar las diferentes etapas necesarias para usar las nuevas características, complementado con imágenes de las pantallas y todo en un archivo en PDF, pero ¿cuál es la posibilidad de que la gente realmente lo lea? Es más significativo delinear un escenario en el que van a usar el nuevo sistema informático. ¿Quién estará involucrado? ¿Por qué es útil el sistema? ¿Cuál es la consecuencia probable si no se ejecuta? ¿Cuánto tiempo ahorrará? Crear una historia alrededor de esto no solo les facilita a las personas entender por qué es necesario, sino que ofrece un marco de trabajo con el cual ellas recuerdan las instrucciones.

COMPARTA MENSAJES SIMPLES

Su historia de liderazgo no debe ser compleja. No necesita resmas de información ni pilas de reportes para convencer a alguien de entrar en acción. Si desea alcanzar a tanta gente como sea posible, hágalo mediante un mensaje sencillo y original.

En el Día Mundial del Agua, Paull Young tiene un trabajo especial para él. Cuando conocí a Paull en Sídney hace varios años, era un joven profesional en relaciones públicas que estaba dándose a conocer asesorando a un gran número de compañías en cómo usar las redes sociales. Con clientes como Telstra, Citrix y *The New York Times*, Paull obtuvo un trabajo de consultoría social basado en Nueva York. Pero en septiembre de 2008 escuchó la historia de *charity: water* y comprometió su cumpleaños.

Para mayo del 2010 supo que quería trabajar para la organización. Así que se vinculó como Director de Vinculación Digital. Pero compartir la historia de *charity: water* no es apenas enviar unos cuantos tweets acerca de comprometer su cumpleaños. Es un plan estratégico y calculado de mercadeo que ha producido grandes resultados. Porque si no lo ha notado, tienen grandes metas en *charity: water*. Quieren acabar con la crisis mundial de agua. Esto significa que planean recoger $25 millones de dólares para el 2012, y $100 millones para el 2015.

Así que en el Día Mundial del Agua, Paull sale a asegurar tantos cumpleaños comprometidos como sea posible para el año. Su meta es de 12.000 cumpleaños para el 2012.

Y si todos aquellos que se comprometen, cumplen con lo esperado, él habrá reunido $12 millones de dólares.

La campaña digital realmente inicia antes del Día Mundial del Agua, alcanzando a personas influyentes como celebridades y profesionales de alto perfil de Silicon Valley, gente que ya ha donado más de $5.000 dólares o simplemente a aquellos con un seguimiento enorme en las redes sociales. "Llegamos antes de tiempo mediante el envío de correos acerca de nuestra meta y para alentarlos a compartir el mensaje del Día Mundial del Agua en sus propias redes", dice Paull.

Es un mensaje que por lo visto funciona, cuando a la mañana siguiente celebridades que van desde Justin Bieber y Mike Tyson hasta Alyssa Milano y Melanie Griffith, han enviado mensajes por Twitter apoyando *charity: water*. Ellos envían mensajes, sus amigos los reenvían y la etiqueta #worldwaterday se convierte en una moda. El mensaje empieza a difundirse.

Cerca de 20 empleados y voluntarios, la mayoría en sus 20s, convergen en la Sala de Juntas de *charity: water* en donde Paull encabeza un esfuerzo coordinado para difundir la voz por todas partes. Allí hay una serie de relojes en la pared. Pero las ciudades escritas de cada reloj no son las que generalmente se encuentra en las salas de juntas corporativas: Nueva York, Londres, Hong Kong y París. En cambio estos relojes representan las horas en Tegucigalpa, Honduras; Puerto Príncipe, Haiti; Monrovia, Liberia; Bangui, República de África Central; Addis Ababa, Etiopia; Nueva Delhi, India; y Dhaka, Bangladesh. Estos son los lugares en donde *charity: water* está haciendo la diferencia.

Los voluntarios se mueven rápido entre pantallas, revisando menciones de *charity: water* en Twitter, Facebook e Instagram, y en todas las otras plataformas de redes sociales que existen en el medio. Todos acceden a un archivo de Google Docs y están ocupados compartiendo mensajes en Twitter, y actualizaciones de Facebook acerca de *charity: water* en sus propias redes, esperando que sus amigos también corran la voz. El archivo centralizado también contiene plantillas de correos que los voluntarios pueden personalizar para enviar a sus contactos.

Para las 11:00 de la mañana, 1.000 personas han comprometido sus cumpleaños con una donación promedio de $1.000 dólares, eso es $1 millón de dólares recogidos en más de dos horas. Y el día aun está joven. La música resuena por los altavoces y la gente en el salón golpea sus teclados con una energía calmada que crece a medida que el día transcurre.

"Son las 11:00 am en Nueva York, así que California todavía no se ha despertado. Podremos ver un pico en un par de horas".

"Alguien acaba de escribir en Facebook: 'Hoy es un gran día porque es el Día Mundial del Agua. No comprometeré mi próximo cumpleaños pero donaré $1.000 dólares a *charity: water*'".

"Estamos teniendo tráfico de Pinterest?".

"Estamos de moda en la ciudad de Nueva York".

"Miren este Tweet: 'Scott Harrison se parece al tipo de la película El Origen (Inception)'".

201

"¿Sabemos las tasas de apertura del correo de anoche?".

La última canción de Rihanna suena por los parlantes y uno de los voluntarios empieza a tararear.

"¿Sabían que Rihanna tiene más de 14 millones de seguidores?".

"¿Debemos enviar un Tweet al respecto?".

Esta no es la caridad normal, o por lo menos no es el estereotipo de cómo se ve la beneficencia tradicional. *Charity: water* está escribiendo su propia historia acerca de cómo funciona la beneficencia.

Aunque es fácil usar la tecnología para enviar "agradecimientos" automáticos a los donantes o enviar un correo masivo a todas las personas de la base de datos, Paull dice que el enfoque de *charity: water* es más personalizado. "Se trata de desarrollar una relación. Cuando usted hace una donación, usted no es un simple número. Si usted dona, alguien de aquí le escribirá. Si publica un Tweet comprometiendo su cumpleaños, lo escogeremos como "favorito" para apoyarlo como respuesta". La estrategia es "inspirar a través de contenido", explica Paull. "Si usted crea un gran contenido, la gente lo compartirá por usted. Piénselo como una serie de círculos concéntricos: compartimos con nuestra audiencia central, ellos lo hacen con sus amigos y así sucesivamente".

"Tenemos una cultura dirigida por la narración. Nuestro fundador, Scott, es un completo narrador de historias. La clave es tener un contenido increíble todo el tiempo. Mi trabajo es compartirlo con el mundo".

En el cumpleaños número 5 de *charity: water*, Scott Harrison grabó un video para mostrarles a sus seguidores los logros alcanzados. Lo puede encontrar en la sección de recursos exclusivos en www.powerstoriesbook.com. Como líder él habló directo a su comunidad de seguidores. Parte de su mensaje frente a la cámara dice:

"Ustedes hicieron cosas increíbles para recaudar dinero. Montaron bicicleta, corrieron, caminaron a lo largo de América, patinaron y surfearon. Cantaron y bailaron. Vendieron limonada y reciclaron. Comprometieron miles de cumpleaños y pidieron donaciones en lugar de regalos.

Enviamos su dinero alrededor del mundo y la gente empezó a trabajar. Con equipos de perforación en los pueblos, los perforadores encontraron agua potable bajo tierra. Las mujeres caminaron menos y recuperaron tiempo cada día. Ahora ellas pasan más tiempo con sus hijos y algunas empezaron pequeñas empresas.

Los niños dejaron de beber agua que los enfermaba y pasan más tiempo en el colegio. Todo el mundo estaba más sano. Más feliz.

El agua cambió todo.

En tan solo 5 años, ustedes tomaron una historia sencilla e hicieron más de lo que pensamos que sería posible. Nos ayudaron a llevar agua potable a 2 millones de personas en 19 países.

¿Entonces qué sigue?...."

Asegúrese de tener otra historia

Scott le pregunta a su comunidad: ¿Entonces qué sigue? Cuando su historia finaliza, ¿qué mejor manera de mantener a la gente enganchada que una segunda parte? En el video, Scott continúa explicando el siguiente paso en el viaje de *charity: water*, enseñándoles cómo continuar sus historias.

Emma Stevenson está muy interesada en ser parte de esa historia. "No sé si puedo explicar de manera acertada mi experiencia aquí, pero ha sido, sin duda, lo más maravilloso que he hecho en mi vida", dice ella acerca de su pasantía. "Me siento como si la gente creyera en mí aquí. Es una organización que cree en el poder de uno, ellos me inspiran a pensar con creatividad y a batallar contra las adversidades. Pero lo más importante es que ellos narran historias de esperanza. En un mundo que está buscando ayuda desesperada es tan fácil dejarse abrumar por los problemas en lugar de ser inspirados por las historias de triunfo. Yo quiero ser parte de la solución".

La mayoría de las historias acerca de los líderes resaltan cómo ellos animaron a todo un ejército de individuos a entrar en acción, crearon una única visión para construir una compañía o a través de fortaleza personal y determinación alcanzaron una meta insuperable contra todos los pronósticos. Como líder, la historia poderosa que usted necesita narrar es aquella en la que usted pone a todos sus seguidores en el papel de un héroe. Una vez que ellos sigan tras su visión, permítales crear su propia historia. Empodérelos. Crea en ellos. Deles la oportunidad de marcar la diferencia haciendo crecer su empresa, transformando sus propias vidas e incluso hasta cambiando el mundo.

SUS ACCIONES

SU HISTORIA COMO LÍDER

Como empresario usted es un líder. No haga alarde de eso, cuando usted está dirigiendo un negocio necesita dar un paso adelante y aceptar que usted es quien dirige el barco. Pero, como hemos visto, eso no significa que usted es quien debe estar en primer plano. Como líder, necesita dedicar un tiempo para elaborar sus historias porque son estas las que lo moverán e inspirarán a los demás a entrar en acción.

Siga los pasos a continuación o descargue la plantilla de su historia como líder en la sección de recursos exclusivos en www.powerstoriesbook.com

◊ ¿Cómo va a mostrarle a la gente quién es usted? Considere 3 nuevas formas en las cuales dé a conocer una visión de su personalidad y de sus valores.

◊ Escriba por qué su negocio es diferente de otros. Defina en dónde sería útil usar esta afirmación (sitio web, tarjeta de presentación, redes sociales, etc.).

◊ Perfeccione su historia hasta que sea sencilla. Repásela y hágala concisa y fácil de recordar.

◊ No permita que su historia caduque. Mantenga a la gente enganchada con una nueva meta, idea o nuevo sueño.

◊ Cuando esté dando instrucciones, utilice una historia. Es mucho más fácil para las personas recordar instrucciones cuando están presentadas bajo ese estilo.

9

Su historia para los medios de comunicación

Imagínese esto: su negocio aparece publicado en la primera plana de un periódico nacional y usted está invitado al programa de entrevistas participando en el desayuno más popular del país; luego lo invitan a un programa de radio y usted se siente como una estrella de rock, está recibiendo toneladas de cubrimiento de prensa. Con todo esto el tráfico de su sitio web ha llegado hasta el techo y sus teléfonos no paran de sonar. Está viviendo su sueño empresarial.

El adecuado cubrimiento y manejo de los medios contribuye a construir su perfil, atrae clientes valiosos y pone su negocio dentro del mapa empresarial. Pero ¿cómo lograr un cubrimiento de los medios equivalente al de Holy Grain? ¿Cómo convertirse en alguien tan interesante para periodistas y editores como para que le den ese lugar tan codiciado en primera página?

Narrando las historias correctas.

Está bien, obtener cubrimiento de la prensa no es un arte oscuro reservado nada más para agencias de relaciones públicas y asesores de imagen. Para obtener cubrimiento de prensa para su empresa, usted necesita entender qué clase de historias quieren difundir los medios y cómo suministrárselas. Vale la pena hacer esto bien debido a que ese tipo de cubrimiento es gratuito. Si logra que un periodista se interese lo suficiente como para publicarle su historia, usted terminará con una página en un diario o revista, dedicada a su empresa, y en lugar de pagar por publicidad, la obtendrá gratis. Si no tiene mucho dinero como para invertir en una campaña de publicidad costosa, esa clase de publicidad gratuita suele ser una de las maneras más efectivas de promover su negocio.

El secreto para contar las historias adecuadas a los medios de comunicación se reduce a… saber adaptar. Puro y simple: usted tiene que aprender a adaptar su historia a los diferentes medios y situaciones. Si narra la misma historia de negocio todo el tiempo, es casi seguro que no tendrá un alto promedio de popularidad. La clave es concentrarse en los elementos específicos de su historia que serán interesantes en particular para esa publicación, programa de televisión o radio.

A lo mejor usted se pregunte: "¿Por qué no narrar mi historia de la manera que siempre lo he hecho y dejar que el periodista elija las partes que encuentre interesantes? La verdad es que los periodistas están ocupados. Son bombardeados con cientos de historias todos los días y ellos no conocen las sutilezas de la historia de su negocio de forma tan íntima como usted, así que pasarían por alto algunos elementos que son ideales para destacar su negocio. Es su responsabilidad asegurarse de exponer ante el público estos elementos, pues aunque su empresa sea la más interesante del mundo, el periodista no sabría reconocerlo si usted no le explica por qué sus lectores o audiencia encontrarán su historia relevante, interesante y útil.

La clave es ser capaz de publicar un comunicado de prensa que cubra con exactitud los temas de los que los medios desean escribir. Usted obtendrá más éxito con un periodista, si usted es específico. No le entregue información general de su empresa, sugiérale un ángulo que se ajuste a su publicación en particular o al medio de comunicación con el que esté contactándose en el momento.

Así que la séptima historia poderosa de su arsenal es su historia para los medios de comunicación, la cual debe modelarse de diferentes formas, dependiendo del medio de comunicación al que se la narre. La siguiente es la historia que el empresario Matt Barrie ha utilizado durante los últimos años como Director Corporativo de Freelancer.com.

El primer desafío de Matt es describir qué es lo que hace su sitio web. Existe una versión larga y también esta: "Somos eBay ofertando trabajos". Es una afirmación concisa que encapsula de lo que se trata Freelancer.com. Los "empleadores" que buscan externalizar proyectos, publican allí los detalles de lo que necesitan implementar . Esto incluye desde diseño de sitios web y edición de videos hasta la traducción de documentos. Luego los profesionales independientes de todo el mundo se postulan para hacer esos trabajos. Como empleador usted no necesariamente selecciona la oferta más económica, sino que revisa el perfil en línea del profesional que le interesa, el cual detalla su experiencia, brinda información de su trabajo junto con las calificaciones de sus previos empleadores, y así el empleador selecciona entre los profesionales que se postularon, al que mejor le parezca.

Usted no debe ser una gran empresa para ser un empleador. La mayoría de los empleadores son propietarios de pequeñas empresas en el mundo occidental, de países tales como Australia, Estados Unidos y Reino Unido, que están en busca de trabajadores independientes que produzcan mejores resultados a nivel costo-efectividad. Casi siempre estos profesionales vienen de países en desarrollo como Bangladesh, Filipinas, India y Rumania y están preparados para trabajar a una fracción del costo que los empresarios están acostumbrados a pagar. De hecho, el promedio por proyecto en Freelancer.com es de $200 dólares.

Es común escuchar de empresas australianas que han recibido propuestas para el diseño de un sitio web por un valor de $10.000 a $20.000 dólares", dice Matt. "Ellos publican el proyecto en Freelancer.com y terminan con un sitio diseñado con mucho profesionalismo por un valor de $1.000 dólares".

Aunque el viejo refrán popular dice: "Cuando pagas maní, obtienes monos", Matt insisten en que este no es siempre el caso. "A menudo los propietarios de empresas afirman que obtienen mejor servicio, mejor tiempo de entrega, y aun mejores diseños, por parte de profesionales independientes de países en desarrollo debido a que ellos se entregan totalmente para servir a sus clientes cada vez mejor puesto que en su país el salario mínimo es generalmente $100 o $200 dólares por mes. Y si ahora se les presenta la oportunidad de ganar $1.000 dólares por diseñar un sitio web, es obvio que desean un cliente como ese a largo plazo, así que hacen lo que sea necesario para ofrecer un excelente servicio".

Pero con esas pequeñas cantidades de dinero transado a través del sitio web, ¿cómo hace dinero Freelancer.com? Ellos cobran a sus clientes una pequeña cuota (alrededor del 3% del valor del proyecto) cuando el trabajo ya ha sido realizado. Para un trabajo de $200 dólares, la ganancia equivale a $6 dólares. Esto significa que para hacer buen dinero la web necesita un gran número de usuarios. Matt ha construido un sitio que funciona en donde la tecnología es infinitamente escalable.

No es que sus 3.5 millones de usuarios sean una cifra despreciable. Sin embargo, no ha alcanzado los 106 millones de usuarios de eBay ni los 900 millones de Facebook. Comparado con estos gigantes de la web, Freelancer.com aún tiene un largo camino por recorrer. Y Matt está muy confiado.

Conteniendo su respiración en una sala de negocios tranquila en Nueva York, muy cercano al caos del Times Square, Matt ha estado viajando durante semanas. Acaba de regresar de dar entrevistas con *The Wall Street Journal* y *The New York Times*. Un mes antes apareció en la portada de una de las revistas más respetadas de Australia, *Good Weekend*. Si hay algo que él domina desde hace poco es narrar la historia de Freelancer.com.

El objetivo del juego es obtener tanta gente como sea posible usando su sitio web, ya que no solo se benefician los propietarios del negocio. Cualquiera puede usar el sitio en busca de profesionales independientes para realizar cualquier labor, como la madre bloguera que desea un rediseño de la apariencia de su blog; o el contador que necesita digitar alguna información, o el niño en Long Island, Nueva York, que usó el sitio para encontrar un pequeño ejército que lanzara bombas llenas de agua a la casa de su vecino. Pero para hacer esto, Matt necesita más usuarios. Para convencer a los "empleadores" a inscribirse necesita narrar las historias correctas, y esas historias no son apenas acerca de cómo encontrar mano de obra económica.

Como un actor cada vez más conocedor de los medios, Matt sabe que es importante adaptar su mensaje para los diferentes medios de comunicación. "Lo mejor de contar historias es que después es mucho más fácil aterrizar el cubrimiento de los medios. Y eso es genial para nosotros porque necesitamos tener un gran número de clientes ya que ganamos una pequeña cantidad por cada transacción. Debemos obtener tanto alcance como sea posible.

Si estoy con una publicación intelectual como *The New York Times* o *The Economist,* entonces debo enfocarme en la historia macro acerca del trastorno de los mercados laborales mundiales o de lo que sucederá en el panorama a largo plazo en la civilización occidental y en las economías en desarrollo", dice Matt. "Pero puedo dejar eso a un lado. Si estoy hablando con un diario local en el barrio de Manly, a las afueras de Sídney, necesito narrar un ejemplo real de una empresa en Manly que sea exitosa usando nuestro sitio para reducir sus costos".

En el capítulo 2 exploramos las razones detrás del porqué la historia del viaje empresarial es tan poderosa. Ya sea a través del análisis o del instinto, Matt entiende el poder detrás de esta historia. "Es acerca de transformación", afirma Matt. "Es lo que a la gente le gusta ver, otras empresas pequeñas que han sido transformadas, ya que eso es lo que muchos desean para sí mismos. Pero necesitan relacionarse con ella. Así que si estoy hablando para una revista para contadores, encontraré ejemplos reales de cómo los contadores están usando el sitio. Si es para una revista de moda, les mostrare cómo la gente del círculo de la moda lo está usando. No importa a qué publicación le esté hablando, tengo que ser ágil para encontrar un estudio de caso con el que esos lectores se relacionarán. Es más poderoso cuando lo hago de esa forma porque mis prospectos piensan: 'Alguien como yo ha usado este servicio y le funcionó'".

CÓMO COMPARTIR SU HISTORIA CON LOS MEDIOS

La forma más común de compartir su historia con los medios es a través de un comunicado de prensa. Por su-

213

puesto, usted siempre tiene la opción de llamar a periodistas y hablarles de su empresa. Pero, más frecuentemente que menos, ellos dirán: "Envíeme un comunicado de prensa al respecto".

¿Qué es un comunicado de prensa?

Muy simple, un comunicado de prensa narra su historia en una forma muy familiar para los medios de comunicación. Es la manera más frecuente mediante la cual los periodistas y editores reciben la información acerca de un producto, evento, empresa o proyecto. Por lo general es un documento escrito, y hoy en día el medio de distribución más común es vía correo electrónico.

Los comunicados de prensa tienen una estructura típica que es la pirámide invertida o una estructura de triangulo inverso. Esto significa que comienza con la información más importante, que va casi siempre seguida de información en orden descendente de importancia, de manera que la información menos esencial está al final del comunicado.

¿Por qué está estructurado de esa forma?

Los comunicados de prensa y las historias de los periódicos están estructurados de esta manera, con la información más importante en la parte superior, luego el resto de la información es presentada en orden descendente de importancia, de forma que si la gente solo lee los primeros párrafos, encuentra los hechos clave. Otra razón es que si un subeditor de un diario debe reducir la historia, ya sea para incluir otra de última hora o para dejar un espacio para publicidad, él pueda cortar del final sabiendo que la información importante se conserva al inicio.

Vea la figura 9.1

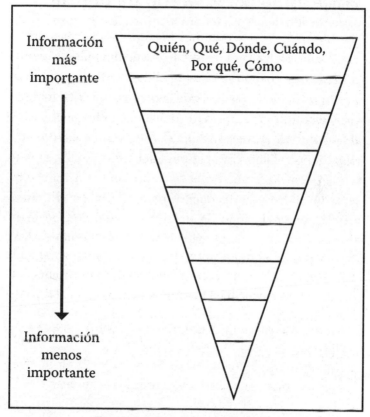

Figura 9.1. La pirámide invertida

La pirámide invertida es una estructura tradicional para las historias de los periódicos. Estas son las historias que usted lee en las primeras páginas de los diarios. Con los hechos más importantes en la parte superior, encontrará *quién, qué, dónde, cuándo, por qué y cómo* en la primera parte de la historia.

Entonces digamos por ejemplo que se trata de una historia para un diario acerca de una aerolínea amigable con las mascotas, lanzada en Australia. El primer párrafo del comunicado de prensa tendrá la información clave:

"La Aerolínea Pet Lovers entrará al mercado de la aviación mañana cuando su vuelo inaugural despegue del aeropuerto de Sídney a las 10:00 de la mañana dirigiéndose hacia Melbourne. Los pasajeros del vuelo incluyen a: Lester, el Jack Russell Terrier; Rambo, el chihuahua cruzado; Rex, el gato australiano; Tiffanie pura sangre; y Rocky, el gato siamés de pelo largo. Todos viajarán dentro de la cabina sentados al lado de sus dueños para minimizar el trauma de los animales cuando viajan en la zona de carga. Primera en Australia, la compañía aérea nacional va a vender asientos para mascotas de hasta 20 kg hacia todas las capitales".

¿Quién? La aerolínea Pet Lovers.

¿Qué? Una aerolínea amigable con las mascotas.

¿Dónde? Vuelo inaugural de Sídney a Melbourne. Vuelos nacionales con servicio a todas las capitales.

¿Cuándo? Mañana es el lanzamiento.

¿Por qué? Para minimizar el trauma de los animales cuando viajan en la sección de carga.

¿Cómo? Las mascotas van sentadas dentro de la cabina junto a sus dueños.

El resto de la historia contiene:

◊   Detalles complementarios.

◊   Información histórica.

◊   Comentarios de personas clave.

Así que los párrafos posteriores serían como este:

"El creador de Pet Lovers, el multimillonario Jack Johnson, la sede de la aerolínea y la flota, están ubicados en Sídney. Sin embargo, la empresa volará a un total de 15 destinos y hay planes de expandirla a Nueva Zelanda para el próximo año. 'Es hora de que las aerolíneas australianas ingresen al siglo XXI', dijo Johnson. 'Hoy en día, las mascotas son parte de la familia. Por lo tanto no deberían sentarse en un lugar frio y oscuro como la zona de carga. Algunos animales se aterrorizan. Siempre he creído que las mascotas deben viajar con sus dueños dentro de la cabina del avión. Me cansé de esperar a que las aerolíneas australianas lo permitieran, así que decidí hacer algo al respecto'".

El empresario e inversionista ha trabajado para varias compañías en la industria del transporte, incluyendo una de transporte de carga y otra ferroviaria de logística. Aunque esta es su primera incursión en la aviación, Johnson sostiene que tiene confianza en su nuevo proyecto y espera capturar el 20% del mercado en dos años.

"Nos hemos asociado con los mejores cerebros de la aviación del mundo", afirma Johnson. "Nuestro principal compromiso es la seguridad de los pasajeros, humanos y mascotas. No solo hemos cumplido con todos los estándares de seguridad requeridos por las autoridades reguladoras, sino que en la mayoría de los casos hemos superado lo que se nos ha pedido".

La Presidenta de Petcare Australia, Sue Smith afirma: "Hemos evaluado la experiencia en la aerolínea Pet Lovers y creemos que es una alternativa muy superior que la que se está ofreciendo por parte de otras aerolíneas. Este es un paso enorme en cuanto a la forma en que tratamos a nuestras mascotas. Algunas de ellas se traumatizaron cuando tuvieron que viajar en las sección de carga y debieron ser sedadas, que no es lo ideal".

A las mascotas se les ha permitido viajar en la cabina de los aviones en aerolíneas de Estados Unidos y Europa hace muchos años. En la aerolínea Pet Lovers todas las mascotas deben usar un arnés de seguridad durante el vuelo. La aerolínea también suministra alimentos especiales para ellas (previa solicitud) y ha diseñado baños adecuados "para aliviar a cada mascota".

Para mayor información contáctenos en:
Michael Miller, Gerente de Relaciones Públicas
Aerolínea Pet Lovers
Correo: michael@petloversairlines.com
Tel: (02) 5555 1111
www.PetLoversAirlines.com

BUSQUE OPORTUNIDADES PARA OBTENER BUENOS ÁNGULOS EN SUS HISTORIAS

Usted debe darle al periodista una razón para que quiera escribir acerca de su empresa. No se confíe en su propia creencia de que usted ha desarrollado la mejor solución que existe desde el pan rebanado porque no funciona así. En la mayoría de los casos, los periodistas necesitan una razón vigente y válida para desarrollar una historia sobre usted. Tenga en cuenta estos ángulos:

Relacione su historia con eventos de ciertas épocas del año

Una su historia a un evento estacional. Por ejemplo, cada mes de enero los medios de comunicación de todo el mundo desarrollan historias acerca de cómo mantener las nuevas resoluciones para el año que comienza. Cuando se aproxima el invierno, aparecen historias de cómo evitar el resfriado. El verano produce historias acerca de permanecer a salvo bajo el sol y cómo entretener a los niños durante las vacaciones escolares.

Piense cómo hacer para atar su negocio a un evento estacional. Digamos que usted es un organizador profesional (A menudo saca la basura de las casas y suministra servicios de conserje tales como pedir los alimentos semanales). Entonces comente que cada primavera ve un 30% de incremento en sus pedidos, como si la gente saliera de hibernación y estuviera lista para limpiar: "Sucede cada año como a reloj. La gente se llena de energía, es como si tuvieran una nueva oportunidad en la vida. También he notado una tendencia de las personas, no solo a emplear este tiempo para limpiar sus casas, sino para resolver sus relaciones. Ahora la mitad de mis compromisos para la primavera son clientes que desean ayuda para separarse de su pareja y empezar una nueva vida".

Relacione su historia con ciertos eventos

Una su historia a un evento próximo. Digamos que usted es un florista. Febrero puede ser una época ideal para hablar acerca de cómo han cambiado las flores del Día de San Valentín en la última década: "Hace dos años, cada arreglo floral tenía rosas y yicsofilias. Ahora nadie quiere regalar yicsofilias muertas y se ha puesto de moda enviar flores silvestres australianas".

Relacione su historia con premios

¿Ha ganado algún premio empresarial destacado? Este es un ángulo ideal cuando se busca el cubrimiento de los medios. El más grave error que he visto en los propietarios de empresas es que cuando reciben un premio retrasan el aviso a los medios durante semanas, algunas veces meses, después del anuncio. Para entonces, esa ya es una noticia vieja.

Si usted está de finalista para un obtener un premio, le recomiendo que dé el paso a ciegas de escribir un comunicado de prensa como preparación para la premiación. Sé que algunos empresarios consideran este como un acto demasiado arrogante e incluso de mala suerte, pero no es otra cosa que inteligente y estratégico. Créame, usted querrá estar listo para salir cuando se haga el gran anuncio. No querrá estar elaborándolo en la misma mañana del evento de premiación, cuando ha estado celebrando con su equipo hasta altas horas de la madrugada. Si no gana, simplemente no lo enviará, pero no hay nada más sabio que estar listo.

Use tendencias y resultados de encuestas para su historia

Si ha notado cualquier tendencia significativa en su industria, comunidad o empresa, ese sería un buen ángulo de su historia para enviarle a los medios. Digamos que usted es un encargado de la administración de vivienda de un conjunto residencial y ha notado que hay un incremento en el número de autos que están siendo parqueados de manera ilegal en las áreas de parqueo de los edificios de apartamentos que usted administra. Si ha habido un alto aumento, comparado con los 5 años anteriores, parece una tendencia que vale la pena discutir. Y si trabaja para una empresa de reclutamiento y ha visto un incremento sostenido en la cantidad de gerentes ejecutivos ingresando al mercado como resultado de despidos, este es definitivamente un excelente ángulo para hacer su historia.

Quizás usted ha realizado una encuesta a clientes o tiene acceso a los resultados de una asociación de gremios. Si los resultados revelan tendencias significativas o describen una fotografía instantánea interesante de la sociedad, tiene cómo darles a los medios una historia con un buen ángulo elaborando una noticia relevante a partir de esta información. Por ejemplo: "La encuesta hecha a nuestros clientes revela que el 80% de ellos eligió un teléfono inteligente como su medio de comunicación principal en el año 2007, pero en el 2012 eligen una tableta. Nuestros clientes, que por lo general tienen más de 45 años de edad, nos afirman que prefieren enviar y recibir correos en su tableta, en su pantalla más grande, que chatear o hablar por teléfono".

La importancia de las estadísticas

Hemos discutido cómo las estadísticas no deben dominar nuestra historia de pasión o de negocios, pero en ciertos casos son imprescindibles para los medios de comunicación, o por lo menos en su comunicado de prensa.

¡Los periodistas aman las estadísticas! Ellos no pueden basar una historia en la simple idea de que "nuestra ventas son enormes" o "el tráfico de nuestra página web asciende como un cohete" o "el mercado para este aparato es enorme". Aunque ellos necesitan una historia atractiva, también necesitan hechos que se basen en una realidad objetiva, y las estadísticas le añaden credibilidad a su historia, como se observa en la tabla 9.1.

NO	SÍ
"Nuestras ventas son masivas".	"Nuestras ventas han incrementado consistentemente en un 40% cada año desde el 2007".
"El tráfico de nuestra página web asciende como un cohete".	"El año pasado tuvimos un promedio de 3.000 visitantes por mes. Hoy estamos cerca de 3.000 visitantes por día".

"El mercado para este aparato es enorme".	"Esperamos capturar el 25% del mercado para final del año. Y nuestro pronóstico es que llegaremos al 50% del mercado en los siguientes 3 años".
"Estamos emocionados con la cantidad de descargas de nuestra aplicaciones en iTuncs".	"Nuestra aplicación es descargada un promedio de 500 veces en un día. Llegamos a la descarga número 7.500 cuando aparecimos en *Today Show*".

Tabla 9.1. Uso de estadísticas dentro su comunicado de prensa

Formas inteligentes de crear historias

Si está rascándose la cabeza buscando un ángulo para una historia que le interese a los medios, tenga en cuenta esto: no tiene que esperar hasta que ocurra un incidente de interés periodístico. ¿Por qué no crea uno?

Volvamos a Matt Barrie. Con una riqueza en historias en la punta de sus dedos, Matt sigue apreciando el poder que implica el hecho de crear historias. Si usted desea ser un maestro de la narración, no le conviene contar la misma historia todas las veces, necesita material fresco que sea interesante, pero no se siente a esperar que aparezcan buenas historias. Una de las mejores formas de obtener material fresco es aportando un marco de trabajo estructurado para que las historias florezcan.

Freelancer.com así lo hizo y obtuvo gran éxito durante el año 2012 cuando lanzó el concurso "Exponga el logo de

Freelancer.com", invitando a su comunidad a enviar videos innovadores sobre cómo ellos harían la exposición del logo del sitio web. Lo que empezó como una forma divertida de involucrar a los usuarios, con un premio de $25.000 dólares al ganador, resultó en un cubrimiento de los medios de comunicación y en una atención del público que vale 100 veces más que eso. Y además, en una cantidad innumerable de historias que Matt usa en discursos, entrevistas u otras iniciativas de mercadeo. Mientras que usar un concurso para promover el logo del sitio suena a una manera barata de hacer publicidad, la gente y las historias que llegaron al concurso probaron ser los héroes de la web".

Así ocurrió con el usuario de Freelancer.com, Stephen Karigo, de los Estados Unidos, quien pidió permiso a la Administración de Aviación Federal de los Estados Unidos para volar sobre el espacio aéreo de Nueva York exhibiendo una pancarta de 3 x 14 metros con el logo de Freelancer. com por el firmamento de Long Island, Manhattan, New Jersey, Ellis Island y la famosa Estatua de la Libertad; o el caso de Gorakh Nath Tmilsina, de Nepal, quien colgó un aviso de 3 x 15 metros durante todo un día de la Torre Bhimsen, la torre más alta de Nepal. Los videos iban de lo sublime a la locura. Un participante entusiasta tomó el logo de Freelancer.com y nadó con tiburones; cuatro buzos saltaron desde un avión con la pancarta de la empresa, y otro construyó una nave espacial, algo como un objeto volador con el logo, enloqueciendo a los residentes locales y a las estaciones de televisión que lo vieron en el cielo nocturno, y obteniendo una mención en *Today Show* de NBC.

Son historias como esta las que atraen a los medios. Aun más importante es el hecho de que se comparten por las redes sociales. A medida que todos los videos fueron subidos a través de YouTube, de inmediato se compartieron con un clic, y algunas entradas ganaron decenas de miles de "me gusta" en Facebook. Por supuesto, estas historias ganaron una atención significativa cuando fueron publicadas por primera vez, pero aunque la primera ola de observadores desaparece, estas imágenes continúan vivas en internet, llegando a nuevas audiencias a medida que el tiempo pasa.

A diferencia de una historia periodística en los medios tradicionales, la cual se convierte en el pez de mañana o desaparece dentro de la bóveda de un estudio de televisión, usted puede aprovechar el poder de la narración presentando su historia en línea y compartiéndola a través de las redes sociales. Pero veremos más acerca de esto posteriormente.

Matt describe el hecho de compartir a través de redes sociales en países en desarrollo, como todo un éxito. Contrario a las menciones en medios de comunicación tradicionales, como los de los acróbatas con el logo, la gente podía votar por su favorito en Facebook haciendo clic en "me gusta", el cual aparece automáticamente en la barra alimentadora de noticias de los usuarios, y se divulga hacia amigos y seguidores.

En un auditorio en el Centro de Convenciones Austin en Texas, Matt fue el conferencista en South by South West Interactive Festival en el 2012. Estaba presentando las estadísticas de Freelancer.com., diciendo: "Tenemos 3.5 millones de usuarios y 1.5 millones de proyectos. El internet está produciendo la llagada del siguiente gran cambio tectónico para la sociedad. El mercado de mano de obra global está trastornado. Existen 7.000 millones de personas en el mundo, pero solo 2.000 millones están en internet. Eso significa que 5.000 millones, es decir, el 70% de la población mundial, no lo está. Pero están llegando ahora. Y desean un trabajo".

Lo entendí. Los números son grandes. Mi cerebro procesa que existe una gran oportunidad. Pero aun si estas cifras son realmente masivas, es la historia de Nazma Rahman de Bangladesh la que las aterriza. Después de la presentación de Matt en Austin, me mostró el video que Nazma envió durante la competencia. Lo que empezó como un puñado de personas de Bangladesh dando vueltas alrededor de un cartel de 2.000 m^2 con el logotipo de Freelancer.com, fue creciendo hasta convertirse en una multitud de gente. Las mujeres en sus vestidos tradicionales, sus saris cubiertos con camisetas con el logo de Freelancer.com. Los hombres vistiendo la misma camiseta. En una toma más cercana vi que cada uno cargaba el logo estampado en cintas y banderas. La multitud empezó a marchar pero se convirtió en un ejército de 3.000 personas, que finalmente se reunieron en una plaza polvorienta en el pueblo rural de Chapainawabganj. Alli Nazma había organizado carteles promocionando los servicios de Freelancer.com y tenía una serie de computadores para demostrar cómo funciona el sitio web.

Inclusive para Matt esto es un tanto irreal. "Cuando lo vi por primera vez, pensé que era en verdad maravilloso verlos marchando por las calles", dijo. "Luego entendí: Por Dios, ellos imprimieron más de 3.000 camisetas con nuestro logo. Luego vi las pequeñas cintas y noté que estaban agitando banderas con el logo impreso en ellas", (Matt movió su cabeza con incredulidad). "Esto hace que se le pongan a uno los pelos de punta".

Cuando Matt estaba en Filipinas, apareció en un segmento de televisión de media hora, junto a dos profesionales independientes. "La presentadora que nos entrevistó era una mujer elegante y les preguntó a los profesionales: 'Entonces usted es un creador de páginas web y usted es una ama de casa. ¿Ustedes complementan lo que hacen en su vida diaria con un poco de dinero adicional usando Freelancer?'.

Uno de los profesionales respondió: 'Oh no, ¡hacemos más dinero en estos trabajos independientes que lo que ganamos en nuestro trabajo de tiempo completo!'. La presentadora estaba tratando de entender cómo era esto posible. Al final del segmento, me dio su tarjeta de presentación y me preguntó: '¿Hay oportunidades para expertos en locución en su sitio web?'".

En últimas, Matt ha aprendido que la mejor manera de aprovechar el poder de la narración es entendiendo que él no tiene por qué ser el único narrador. "Cuando la gente tiene una buena experiencia, le cuenta a todo el mundo su historia al respecto" afirma.

ALERTAS Y LLAMADAS DE SERVICIO

Narrar su historia a los periodistas es una manera de ubicar su empresa en los medios de comunicación. También es bueno inscribirse a alertas o llamadas de servicio a los cuales acuden los periodistas cuando están buscando casos específicos, expertos y gente para entrevistar. Usted se inscribe en una lista de correos electrónicos gratis que publican información sobre cierto tipo de expertos y estudios de casos o fuentes a las que los periodistas acuden para consultar sobre temas que ellos están desarrollando. Una dirección de llamada de servicio en Australia es www.sourcebottle.com.au. Una similar existe en Estados Unidos, www.reporterconnection.com . La clave del éxito de Sourcebottle y Reporter Connection es asegurar que usted suministra la información que los periodistas piden. Supongamos que usted es un periodista que está buscando a "un experto que sepa y quiera comentar acerca de la crisis actual de alimentos en Australia". Esta clase de respuesta no le va a ayudar:

"Soy un experto y hago comentarios sobre ese tema".

Esto no dice nada acerca de su experiencia ni de por qué usted sería la persona ideal para hablar de ese tema. En cambio debe intentar algo así:

"Soy una economista de alimentos ubicada en Sídney. Tengo puntos de vista convincentes acerca de la crisis de alimentos en Australia que están basados en mi investigación sobre alimentos importados vs alimentos producidos localmente, en especial, fruta. Si desea comentarios específicos acerca de cómo las inundaciones recientes en Queensland han afectado la crisis alimentaria, también tengo mucha información al respecto en cualquier momento de esta semana. Mi número telefónico es...".

Si usted es una empresa establecida, puede usar los servicios de una agencia de relaciones públicas para obtener publicidad para su producto, servicio o negocio. A lo mejor ese no sea su campo de acción, así que tiene sentido anunciar este trabajo a expertos. Sin embargo, si está empezando y no tiene flujo de capital, es muy probable que no cuente con los medios económicos para pagar por tal información. Si ese es el caso, las alertas de medios y las llamadas de servicio suelen ser un recurso útil. Pero también debe entender cómo llegar a los periodistas y editores. Encontrará guías fundamentales en cómo manejar los medios en la sección de recursos exclusivos en www. powerstoriesbook.com.

FOTOGRAFÍA

¿Ha escuchado decir que una imagen vale más que mil palabras? Eso es especialmente cierto cuando se trata de los medios de comunicación. Nunca subestime el poder de una buena fotografía. Por supuesto, algunos medios de comunicación tienen el tiempo y los recursos para enviar a su propio fotógrafo, pero hoy en día muchos no tienen cómo hacerlo. Entonces usted debe asegurarse de que tiene una selección de fotos para entregarles a los medios, si las necesitan. No tiene que comisionar a Annie Leibowitz, solo necesita una pocas fotos en las que no aparezca borracho, cargando a su bebe o vestido en tafetán como una dama de honor en la boda de su hermana.

Una fotografía resulta esencial para determinar cuánto cubrimiento tendrá su negocio. Si piensa que estoy siendo dramática en este punto, no lo soy. Por ejemplo, si tiene una foto genial, tomada de manera profesional, es factible que con ella hasta termine en una página completa (en incluso en la portada) de algunas revistas. Pero si envía una foto que tomó la última vez que usted estuvo en Bali y le pide al periodista que recorte a sus hijos de ella, entonces no espere tener una columna de muchos centímetros en su publicación. Y tampoco espere que lo vuelvan a llamar pronto.

Sé que existen personas a quienes no les gustan las fotos, quienes creen que su historia debe sostenerse sobre sus propios méritos. Pero si en realidad en cierto que una foto no marca la diferencia, si un medio de comunicaciones tiene la oportunidad de usar una gran foto enviada por su competidor, versus la foto borrosa enviada por usted, ¿cuál escogerán?

TODO SUCEDE EN EL MOMENTO

Los periodistas trabajan por plazos. Si lo han contactado para obtener más información acerca de su producto o servicio, es probable que estén cercanos a la fecha de entrega de la historia que necesitan. Así que devuelva la llamada o los correos tan pronto como sea posible, dentro de la misma hora es lo ideal. Si de verdad no puede posponer lo que está haciendo, diga que está en una reunión o en una boda, y luego trate de escaparse para hacer una llamada rápida, así sea para decir: "Estoy en una reunión/boda y no puedo atenderlo ahora, pero sí en dos horas. ¿Está bien para usted?".

En circunstancias normales, esa llamada será aceptada. Los periodistas deben saber que usted volverá a contactarse porque les quita presión de encima debido a que si no saben si usted recibió o no el mensaje, entonces empezarán a buscar otra fuente. Si encuentran a alguien más para conversar durante el tiempo que usted no se comunica, entonces es usted quien habrá perdido esta oportunidad de tener publicidad. Aun si llama más tarde, es poco probable que deseen incluirlo en la historia ya que ya han conseguido lo que necesitan de otra fuente.

En algunas ocasiones me agarro a dos manos mi cabeza cuando veo las tonterías que hace la gente. Como el propietario de un negocio que me envió un comunicado de prensa y luego se fue de vacaciones, negándose a aceptar llamadas para hacerle una entrevista. No es necesario decirlo, pero no escribí acerca de él. No fui petulante, simplemente debía cumplir con un plazo de entrega.

DIFUSIÓN POR BLOG

No solo los periodistas y los medios de comunicación tradicionales tienen derecho a hacer una amplia exposición de su marca. Con la creciente blogosfera, los blogueros se están convirtiendo en comunidades cada vez más influyentes. Algunos de ellos tienen comunidades incluso más grandes que los medios de comunicación tradicionales. Pero debido a que no existen barreras para ingresar al mundo de los blogs (se puede crear un blog en cuestión de minutos), existe un amplio espectro de blogueros allá afuera, desde completos novatos sin público (exceptuando a su mamá y a su gato) hasta populares, con ejércitos de seguidores colgando de cada una de sus palabras.

Tal como en los medios tradicionales, usted debe dirigir sus mensajes a blogueros que alcancen su misma audiencia o una similar a la suya. No tiene sentido buscar a blogueros en tecnología, sin importar qué tan grande sea su liderazgo, si las audiencias de expertos en tecnología no son su objetivo. La clave es encontrar blogueros de influencia que:

◊   Alcancen una audiencia de sus clientes objetivo.

◊   Escriban acerca de temas y asuntos que estén en sincronía con su producto / servicio.

Comparada con los medios tradicionales, la blogosfera es aun relativamente joven. Así que mientras que existen guías claras acerca de cómo acercarse a los medios tradicionales, las reglas están escribiéndose todavía en lo que se conoce como "difusión por blog" (Blogger outreach), que es el proceso de acercarse a blogueros con su producto, servicio o marca, con la esperanza de que ellos difundan la voz escribiendo al respecto. Esto puede tener la forma de dar demostraciones de producto, publicaciones patrocinadas, publicación directa, ensayos sobre productos, etc.

La parte confusa es que cada bloguero es diferente. Algunos esperan una remuneración por escribir acerca de su producto o servicio (en particular si tienen una audiencia grande), mientras que otros muy atentos hablan de él sin ningún costo, siempre y cuando sea importante para sus lectores.

En otras palabras, las políticas editoriales de los blogueros de hoy varían en forma muy amplia. Esta variación es probable que sea racionalizada en los próximos años a un enfoque más estándar. Mientras tanto muchos blogueros acceden a que, cuando hay un pago de por medio, ya sea con producto, publicidad o una publicación, la información debe divularse. De hecho, en los Estados Unidos esta clase de divulgación es exigida por la Comisión Federal de Comercio (Federal Trade Commission).

Entonces ¿qué clase de historia debe contarle usted a los blogueros? Su acercamiento es similar al de su historia para los otros medios de comunicación. Después de todo, los blogueros son parte de una multitud creciente de líderes influyentes en los medios sociales. Usted debe adaptar su mensaje de acuerdo a la audiencia de ese blog en particular, y a la personalidad de ese bloguero específico.

La blogosfera está evolucionando constantemente. Una manera de encontrar blogueros y personas influyentes en las redes sociales, que estén interesados en escribir acerca de su producto o negocio, es por medio de las llamadas de servicio como www.SocialCallout.com, en la cual yo soy una inversionista. Si usted es nuevo en el mundo de los blogs, encontrará más guías al respecto de cómo tener el mejor provecho de su relación con los blogueros en la sección de recursos exclusivos de www.powerstoriesbook.com.

Sus acciones

Su historia para los medios de comunicación

Para terminar, su historia para los medios no es tan solo una historia que usted quiere repetir vez tras vez, esperando atraer, sino que tiene que ser una historia que funcione de verdad, y para eso se requiere de un enfoque estratégico. Con esa finalidad, dedíquese un par de horas a generar una lluvia de ideas desde diferentes ángulos y luego trabaje en identificar el medio correcto y el mensaje que le funcione con mayor efectividad.

Siga estos pasos o descargue la plantilla de su historia para los medios de comunicación en la sección de recursos exclusivos en www.powerstoriesbook.com

◊ Defina la audiencia que quiere alcanzar.

◊ Decida qué medios tradicionales y sociales escucha, lee o ve su audiencia.

◊ Analice las clases de historias publicadas en este medio de comunicación.

◊ Adapte su historia a este medio.

◊ Defina el ángulo que le dará al periodista una razón para publicar su historia.

◊ Distribuya su historia por medio de comunicados de prensa.

◊ Cree oportunidades para desarrollar historias de interés periodístico.

10

De la narración al intercambio de historias

Es imposible ignorar a Kyle Maynard. Es bien parecido, carismático y tiene unos pectorales bastante impresionantes. Este empresario de 25 años de edad combina su exitosa carrera de orador con una empresa que satisface una de sus grandes pasiones, el gimnasio. Cuando Kyle no está en camino desde y hacia compromisos de conferencias, está dirigiendo su propio gimnasio, CrossFit, el cual fundó en el 2008 en Suwanee, Georgia, en los Estados

Unidos. También escribió el libro más vendido por *The New York Times*, *Sin excusas (No excuses)*, y fue incluido en el Salón de la Fama de NWA (National Wrestling Hall of Fame), superando el record mundial en levantamiento de pesas, además de competir en artes marciales mixtas; fue invitado al Show de *Oprah* y al de *Larry King*, al igual que a varios shows de televisión de máximo rating. Kyle ha sido también modelo para Abercrombie & Fitch, y ha sido fotografiado por el legendario fotógrafo Bruce Weber, quien también lo fotografió para la revista *Vanity Fair*.

Así que cuando me encontré sentada frente a Kyle, durante el almuerzo en una conferencia a la que ambos asistimos en agosto del 2011, les juro que no comparé notas con él acerca de mis logros deportivos (o la completa ausencia de ellos). Tomábamos la comida en el buffet junto a la piscina antes de seguir nuestro camino hacia las mesas reservadas para los asistentes al congreso. Al igual que muchos chicos jóvenes en forma, él llenó su plato con lo que para mí es una cantidad excesiva de proteínas, pero omitió la selección de postres.

En medio de pollo asado, frijoles refritos y ensalada, conocí la historia de Kyle. Nació en 1986 con una condición conocida como amputación congénita, los brazos de Kyle finalizan antes de sus codos y sus piernas en la mitad de los muslos. No tiene manos ni pies. Sin embargo esto no le ha impedido llevar una vida normal. "Eso es lo que mis padres querían para mí", dijo Kyle. "Y es lo que yo quería para mí".

Kyle se moviliza sin ayuda excepto para tomar su silla de ruedas de la cual parece saltar y doblar y esconder en un hábil movimiento. Vive por sí solo en una casa de tres pisos, con su habitación en el tercero, y lleva una vida normal. Kyle conduce, digita 50 palabras por minuto en su computador o iPad y dirige su negocio, tal como cualquier otra persona. Siempre evitó el uso de prótesis porque le limitan su habilidad para moverse.

Desde muy temprano sus padres tomaron la decisión de tratarlo como a un niño sano, normal. Kyle fue al colegio, jugó futbol, se unió al equipo de lucha y vivió con sus padres y sus tres hermanas, quienes no nacieron con la misma condición. En el colegio, en su primer año en el equipo de lucha, fue vencido 35 veces seguidas. Fue una mala racha que haría que cualquiera se sintiera sin esperanza. Por si fuera poco, Kyle tuvo que escuchar a los pesimistas. "La gente me decía que yo nunca iba a ganar un encuentro", dijo. "Escuché conversaciones en las que la gente decía que lo que yo estaba tratando de hacer era completamente imposible".

Sus padres no querían que él se rindiera, pero pensaban que de seguro no se inscribiría al año siguiente. "Mi padre estuvo preguntándome si iba a luchar de nuevo y yo evitaba la conversación como si fuera una plaga", afirma Kyle. "No quería hacerlo, pero luego mi padre me dijo que él jamás ganó un juego durante su primera temporada completa, y él se convirtió en un luchador muy exitoso en la universidad. Así que le creí y me inscribí. Pensé que si él pudo hacerlo, entonces yo también podría".

Kyle fue el ganador de 36 encuentros en su último año escolar, venciendo a varios campeones estatales. Fue calificado en el puesto 12 de acuerdo a su categoría de peso en el campeonato nacional. Y por si se está preguntando si era una categoría especial, no lo era. Kyle compitió mano a mano con luchadores sin discapacidad.

"No fue sino hasta el año siguiente que supe que mi padre me había mentido descaradamente acerca de perder todos los encuentros cuando estaba en el colegio. Lo hizo para animarme a inscribirme de nuevo al equipo de lucha. Estaba sorprendido, ¿pero sabes? ¡Funcionó!".

Parece natural que Kyle haya ingresado al mundo de las artes marciales o de lucha entre una jaula, pues golpeó una pared en el año 2007 cuando la Comisión Deportiva y de Entretenimiento de Georgia se rehusó a darle una licencia para competir. "Eso me dejó sin muchas opciones, más que la de ir a pelear en Alabama, en donde no había comisión que lo impidiera", dijo Kyle, quien por fin consiguió competir en el 2009.

Y aunque obtuvo su oportunidad para pelear, también atrajo enemigos. "La gente publicó cosas repugnantes acerca de mí en internet y en You Tube. Algunos dijeron que yo iba a ser el primer muerto televisado en deportes. Muchos me enviaban correos diciendo que si ellos estuvieran peleando en mi contra no tendrían ningún problema para patearme el cráneo. Un tipo dijo, 'Venga, tome una motosierra y córteme los brazos y las piernas para que yo también pueda salir en *Oprah*, como Kyle'".

"Me sentí apenado por esas personas. Para mí, la experiencia valía la pena. Fue una de las más maravillosas de mi vida". El viaje de Kyle fue capturado en un documental llamado "A Fighting Chance".

Ahora, sentado cerca de la piscina bajo el cálido sol de California, Kyle parece más un hombre de negocios que un luchador de jaula. Solamente sus pectorales lo delatan.

HAGA QUE SU HISTORIA SE RELACIONE CON OTROS

Siete meses después de esa conferencia, me conecté de nuevo con Kyle. Estaba en Phoenix, Arizona, en una conferencia, pero esta vez cuando hablamos él estaba comiendo papas a la francesa. Nos contamos uno a otro lo que habíamos estado haciendo. Yo he estado trabajando, viajando un poco, remodelando la casa. Usted sabe, cosas normales. Kyle, por otra parte, había escalado el Monte Kilimanjaro. Sí, leyó correctamente. Él escaló 5.895 metros hasta la cumbre de la montaña más alta de África y se arrastró durante todo el recorrido.

A pesar de su intento por llevar una vida "normal", nadie discute que hasta ahora Kyle ha tenido una vida extraordinaria. Así que no es de extrañar que sea solicitado como conferencista y pase la mitad del año viajando, compartiendo su historia. "Lo más importante acerca de la narración de historias es entender que la historia que narramos, aun si es la nuestra, no es en realidad acerca de nosotros. Mi historia es tan solo una metáfora para ayudar a otras personas. Es acerca de ser capaz de hacer que su historia se relacione con los demás y se enlace con sus propias experiencias. Se trata de causar un impacto en la vida de otros. Para mí, eso es emocionante".

Kyle no siempre fue tan apasionado por compartir su historia. "Solía tratarla como un trabajo. Era una carrera, no una pasión" dijo. "Hace pocos años, estaba cansado de hablar, estaba deprimido y listo para renunciar".

Fue un encuentro fortuito en la sala de partida de un aeropuerto en Carolina del Norte lo que se convirtió en el punto de retorno para Kyle. "Vi a dos chicos que me miraban fijamente, así que decidí acercarme a uno de ellos y saludar", dijo Kyle. "Salté a mi silla de ruedas y me impulse hasta él. Extendí la mano para estrechar su mano y vi que se la había quemado casi en su totalidad. Tenía quemaduras en todo su brazo y su amigo tenía terribles quemaduras en un lado de su cuerpo. Entonces me contaron su historia.

Estaban en la Policía Militar del Ejército custodiando una caravana. Iban en un camión con combustible, lleno de gasolina, y fue alcanzado con un misil. El fuego subió por el tablero y quemó las manos del primer sujeto. Su amigo se lanzó sobre él tratando de extinguir las llamas, y se quemó un lado de su cuerpo de tal manera que ni siquiera sus hijos lo reconocieron.

Así que despertaron en sus camas en el hospital de San Antonio, Texas. No querían hablar con ningún empleado del hospital, ni médicos o enfermeras. Ni siquiera les devolvían las llamadas a sus familias. Solo se hablaban entre sí. Me dijeron que en el séptimo día, recostados en la cama, hicieron un pacto de suicidio de manera que se quitarían la vida mutuamente. Ese día vieron mi historia en HBO, y eso hizo que se detuvieran.

Ellos me ayudaron a encontrar mi propósito. Me ayudaron a encontrar mi creencia en la razón por la cual comparto mi historia. Hoy en día me encuentro con personas que han escuchado mi historia hace 3 o 4 años y se acercan y me cuentan cómo esa historia cambio sus vidas. Todavía escuchar lo que me cuentan me deja sin respiración".

"Mi historia no es tan épica"

No hay duda de que la de Kyle es una historia heroica. Y la mayoría de nosotros no tiene historias sobre peleas en jaulas ni ascensos dramáticos al Kilimanjaro con los cuales entretener a nuestros amigos. Sin embargo, Kyle hace énfasis en que sus historias no tienen que ser épicas para lograr impacto. "Solo necesitan ser suyas", afirma. "Verdaderamente suyas. Porque es mucho más poderoso que narrar la historia de alguien más. Y a menudo son las historias acerca de los incidentes del día a día, como ir al supermercado o vestirse, las que tienen más poder que aquellas acerca de boxeo en jaulas o escaladas de montañas".

Kyle comparte sus historias, no solo a través de conferencias, sino también a través de su blog en www.kyle-maynard.com, Twitter, Facebook y videos en YouTube, y en su libro. Cuando la gente se siente inspirada por Kyle, existe la opción de continuar en contacto con él vía internet, para seguir su historia.

Para mí esta es la piedra angular del intercambio de ideas en el mundo digital de hoy. Po supuesto nada supera el conectarse con alguien en persona, ya sea mediante una conversación uno a uno como mi charla con Kyle al lado de la piscina, o en una charla, pero solo hay 24 horas en un día, y cada uno de nosotros tenemos vidas bastante ocupadas. Así que la forma más eficiente de compartir su historia con una gran cantidad de gente y de manera rápida, es a través de las redes sociales en línea.

Antes de empezar a compartir...

Antes de empezar a compartir sus historias por internet, es importante empezar escuchando. ¿Ha visto al tipo ese que ingresa a la conversación que usted está teniendo en medio de un asado, y de repente él empieza a narrar sus historias mientras que los demás están aún en medio de la que usted intenta contar? Usted no desea ser ese tipo. ¿O la mujer en un evento de ampliación de contactos que aparece en su conversación y piensa que es correcto decir: "Qué pena, no quise interrumpir pero...", y luego procede a contarle cómo su negocio puede ayudarle con publicidad por medio de un sistema de pagos por internet? "Y, aquí tiene, he aquí un folleto de la oferta especial que tengo para esta semana. Pero lo siento, tengo que salir corriendo porque mi esposo está esperando en el auto".

Estas personas no se molestan en escuchar porque están demasiado ocupadas transmitiendo sus propios mensajes. Así como en escenarios sociales de la vida real, la gente no responde si su enfoque es todo acerca de...usted.

Conozco una empresaria (la llamaremos Kathie) que se comunica con su base de datos solo cuando quiere venderles algo. "Voy a hacer una ráfaga de correos electrónicos", dice. Cuando está en Twitter solo publica mensajes acerca de sus productos y nunca se molesta respondiéndole a alguno de sus seguidores. Su página de Facebook es dominada por enlaces a sus publicaciones en el blog, y cuando la gente comenta, ella no responde.

Algunas veces me pregunto si está tratando de enterrar su empresa dentro de una muerte temprana. Kathie simplemente ve las redes sociales como un canal para transmitir información, y no como una manera de posibilitar una conversación, lo cual quiere decir que está perdiendo oportunidades valiosas de saber lo que la gente piensa de sus productos, o de obtener ideas para los que introducirá al mercado en un futuro. Me enloquece y quiero sacudirla.

En secreto pienso que Kathie quiere parecerse un poco a una estrella de rock. Ella cree que si cultiva un aire de inaccesibilidad, su actitud hará que los demás piensen que es tan exitosa como para que la molesten con trivialidades como la interacción social. Ella parece no entender que este enfoque apartado nada más la hacer lucir como una tonta. Usted no querrá ser un ridículo en las redes sociales, como Kathie. Así que cuando se trata de aprender a escuchar, vale la pena tomar lecciones con algunos maestros.

Determinar las necesidades de sus clientes

He caminado por el escenario sobre el que se filmó la película *Juegos de Guerra (WarGames)*. Bueno, o por lo menos eso es lo que parece. Si usted no está muy familiarizado con esta película icónica de 1983, protagonizada por Matthew Broderick, es acerca de un joven pirata informático que sin querer ingresa al sistema informático del Departamento de Defensa de los Estados Unidos y casi propicia una guerra mundial nuclear.

Lo confieso, me encantó esa película. Empecé a sentir una fascinación por la tecnología, que mantengo hasta hoy. Las escenas clímax de la película fueron grabadas en la sede de NORAD (North America Aerospace Defense Command), construida en las profundidades de las montañas de Colorado.

Pantallas masivas dominan el centro de control, por encima de las filas sombrías de los militares, cada uno con su propia pantalla y paneles de control. Los operadores usan auriculares para ver las enormes pantallas por encima de ellos que ofrecen a vista de pájaro una visión de la guerra termonuclear global que está a punto de desarrollarse. Hay una línea telefónica directa con el Presidente de los Estados Unidos.

"Disparen los bombarderos, pongan los submarinos en modo de lanzamiento. Estamos en DEFCON 1", entona el general muy condecorado, con la seriedad de alguien que sabe que millones de vidas están en sus manos.

En la sala cavernosa donde estoy de pie en el momento, el hombre en la parte delantera tiene el mismo tipo de solemnidad militar. Con los pies plantados en ángulo recto, inspecciona la habitación y habla con claridad a los visitantes reunidos y salpica sus explicaciones con palabras como "despliegue", "bienes", "la situación política", "desastre" y "logística". La habitación parece un set de cine de Hollywood, al punto que casi veo a Matthew Broderick apareciéndose a vuelta de la esquina.

Pero esta no es una guerra termonuclear. Es el centro de comando mundial de Dell en Round Rock, Texas, y los bienes que están desarrollando no son misiles intercontinentales sino computadores. Es difícil reprimir una sonrisa cuando el presentador explica en detalle cómo Dell utiliza herramientas de vanguardia para predecir la ruta de los huracanes de manera que Dell esté en capacidad redirigir la ruta de las entregas de computadores o sus partes para que todo llegue al cliente a tiempo. A través de un sistema de rastreo complejo, ellos determinan el depósito de partes más cercano al cliente, miden la capacidad de su socios en logística (tales como las compañías de mensajería) y usan esta información para asegurarse de satisfacer las expectativas de los clientes de acuerdo a su nivel de servicio específico.

Todo esto está representado visualmente en las pantallas grandes en la parte delantera del salón, las cuales muestran imágenes de Google Earth ampliadas hasta el nivel de la calle y grafican la información sobre la del tráfico para algunas áreas, pues ciertos puntos de acceso tienen vistas de cámaras en tiempo real.

"Si hay una reunión de líderes de la política, sabemos las calles que estarán apagadas pues este hecho suele causar demoras por horas. Así que definimos planes alternativos para el cumplimiento", continúa diciendo. El centro de mando aparentemente omnisciente de Dell hace seguimiento del tiempo, de los acontecimientos del mundo, incluso de los cortes de energía. "Durante un incidente reciente en Nueva York, la mitad de la ciudad quedó apagada y tuvimos que poner los bienes en helicópteros para asegurarnos de que llegaran a su destino a tiempo".

Este enfoque militar logístico y de operaciones es sorprendente cuando usted tiene en cuenta que Dell entrega cada año un número de computadores cada vez mayor alrededor del mundo. En el final del año fiscal del 2011, las ganancias de Dell eran de $62.12 billones de dólares. La empresa tiene 109.000 miembros en el mundo. ¡Esa es una cifra enorme!

Cuando usted maneja esta clase de volumen, los comentarios mundiales acerca de su marca, ya sean buenos, malos o feos, llegan a ser ensordecedores. Pero ¿cómo interceptar estas conversaciones? ¿Cómo saber cuándo alguien está diciendo cosas maravillosas de usted (para poder agradecerle) o denigrándolo como la peor experiencia de su vida (para que pueda arreglar los problemas)? Mientras que nunca va a poder interceptar una conversación privada que dos personas sostienen compartiendo un café, usted sí puede sin lugar a duda escuchar las conversaciones en línea de sus clientes, ya que cada más una gran cantidad de ellos está compartiendo sus opiniones sobre productos, servicio y experiencia como clientes.

En la actualidad los usuarios están en capacidad de enviar a su página de Facebook o Foursquare la fotografía de una cena deliciosa que acaban de ordenar en algún restaurante. También escriben mensajes en Twitter acerca de lo mucho que aman (u odian) su teléfono inteligente. O redactan ensayos en sus blogs acerca de todo, desde aparatos y vino hasta libros y programas de televisión. Así mismo comparten que están frustrados debido a un servicio al cliente en línea o manifiestan que están alabándolo por lo bueno que es. Sin importar si es un gigante como Dell o un propietario de una empresa pequeña, los desafíos son los mismos. Es mucho más difícil para una empresa con volúmenes como los de Dell mantenerse al tanto de las conversaciones en el espacio social, que para una empresa pequeña más ágil con un número de interacciones más manejable.

Entonces ¿en dónde empezar?

De acuerdo con Richard Binhammer, el Director de Redes Sociales y Equipo de Comunidad de Dell, se debe empezar escuchando. Eso fue justo lo que él hizo cuando empezó a concentrarse en la presencia de Dell en las redes sociales en el año 2006. Richard afirma que las conversaciones acerca de uno están sucediendo, tenga usted parte o no en ellas.

Usted pensará que su perfil está lejos de ser tan grande como el de Dell, o que como es una empresa más o menos nueva, usted no tiene nada que escuchar todavía. Aunque eso parece verdad, vale la pena usar las herramientas correctas para revisar, solo en caso de que existan conversaciones acerca de usted o sus productos, que no sabía que estaban sucediendo. Pero aun si está convencido de que nadie está hablando de usted, debe escuchar las conversaciones que suceden con respecto a su competencia o acerca de los mismos tipos de productos como los suyos.

"En pocas palabras, usted debe conocer las conversaciones que están sucediendo", dice Richard, de pie, afuera del Centro de Control de Medios de Comunicación de Escucha de Dell. Ubicada en otra parte de la empresa en la sede principal en Round Rock, esta es una versión a pequeña escala al estilo de WarGames, en donde se supervisa la logística y el "despliegue de medios".

Las pantallas en el centro de comando de redes sociales no muestran imágenes del tráfico de las calles ni el rastreo de la ubicación de los vehículos de entrega de Dell. En cambio las gráficas representan los sentimientos de los clientes acerca de Dell. En un mapa gigante del mundo, con puntos verdes que indican las menciones positivas en línea, medidas por palabras claves como "Gran experiencia" o "Dell lo hace" o "Amo mi nuevo Dell". Otros puntos rojos indican los lugares en donde alguien está publicando un comentario negativo, medido por palabras clave como "Dell apesta".

No es de sorprender que Richard entienda el poder de la opinión pública. Hoy en día él se ha establecido en Texas, proveniente de Canadá, en donde trabajaba en la campaña nacional para el Primer Ministro. Se trasladó para ocuparse de los asuntos públicos y las comunicaciones corporativas en los Estados Unidos.

El día de mi visita, el sentimiento de los clientes parecía ser dominado por el color verde. Sin embargo, este no siempre ha sido el caso. En el año 2005 Dell estaba recibiendo menos informes estelares en diversos blogs, con comentarios negativos tanto en los productos como en la atención al cliente. Estas experiencias no solo fueron reportadas, sino compartidas con otros clientes descontentos que se unían a la conversación. Pero ¿cómo arregla usted asuntos como estos si no los escucha? ¿Y si las conversaciones giran en torno suyo pero usted no tiene el radar para atraparlas?

Hoy en día existen muchas herramientas de gestión de redes sociales y reportes, las cuales van desde herramientas básicas tales como Google Alerts, el cual lo alerta cuando usted elije una palabra (como el nombre de la compañía o de su producto) y esta es mencionada. Otras más complejas, como la herramienta de monitoreo y participación Radian6 (utilizada por Dell), que tiene la capacidad de suministrar análisis y reportes más sofisticados.

"En el pasado, el punto de vista de las personas acerca de un producto o marca, a menudo dependía de la información basada en hechos tradicionales, como en los sitios de noticias, en la publicidad o de parte de los comentaristas de la industria", afirma Richard. "Con las redes sociales, esto ha cambiado de manera radical hacia perspectivas más subjetivas, que de todos modos, están compuestas por multitudes y son muy poderosas".

Esto significa que hoy en día los clientes han incrementado el uso de las recomendaciones de amigos y los comentarios de los usuarios (tales como los libros de comentarios en Amazon o los sitios de comentarios sobre restaurantes). No son solo los expertos quienes están siendo consultados para conocer sus opiniones. Anteriormente, los críticos de alimentos examinaban restaurantes y la opinión pública se tambaleaba por su veredicto. Ahora usted no tiene que ser un experto en alimentos para escribir acerca de si tuvo una buena experiencia o no en ese restaurante específico, al punto de que, si existen muchos comentarios negativos por parte de clientes regulares, estos tienen impacto en la forma en que es visto el restaurante.

"En algunos de los casos, una simple publicación en un blog puede tener tanto poder como una historia principal en un periódico", dice Richard. "Hoy en día, las personas son publicistas y tienen el poder de influenciar la opinión pública, en especial si sus mensajes son compartidos dentro de su comunidad. Es mucho más sencillo que nunca compartir información en línea. Entonces se forman comunidades completas que realizan debates e impactan las percepciones de la gente sobre un producto".

Estas comunidades van desde redes de mamás blogueras a pequeños grupos de mamás. También existen aquellas con intereses especializados que van desde aficionados a The Hunger Games y fanáticos de los carros hasta devotos por la fotografía digital y personas que hacen artesanías a partir de pelo de gato. Sí, existen comunidades de personas que hacen artesanías. Y con el pelo que se cae de sus gatos.

Richard afirma: "Si una conversación sucede alrededor de un enfriador de agua ubicado en Brisbane, Australia, acerca de un producto Dell, no tengo ni idea de qué es lo que está sucediendo. Y es poco probable que me sea reportada. Pero si esa conversación sucede en Facebook, en la blogosfera o en Twitter, no solo aprendo de ella, sino que inclusive tengo la opción de participar, y sí es posible arreglar cualquier problema.

Todo se reduce a la formación de relaciones. He dejado de pensar en las redes sociales como un canal. Es una herramienta como un teléfono o un correo electrónico. Cualquier empresa que es inteligente debe estar escuchando y participando en línea".

Es muy fácil asumir que Dell tiene el presupuesto, las herramientas y los recursos para manejar sus redes sociales, pero es importante notar que Richard empezó su viaje antes de que muchas herramientas como las redes sociales fueran inventadas. "En el año 2005 no teníamos Radian6 ni el Centro de Control de Medios de Escucha", dice. "Yo hago una búsqueda por palabra clave, para Dell y para nuestra industria, y establezco alertas para blog en Google con el fin de ver lo que se está diciendo acerca de nosotros en internet. Luego copio todo en una hoja de cálculo de Excel y trabajo en ella todos los días".

Aun para una empresa tan grande como Dell, la cual es mencionada en las redes sociales aproximadamente 25.000 veces al día, esto empezó como un proceso manual. Pero ahora existe un rango de herramientas de bajo costo, o gratuitas, para ayudarle a cualquiera a hacerlo en una sola pantalla. Si usted está iniciando y desea herramientas que lo ayuden a escuchar lo que la gente está diciendo acerca de su empresa, marca o producto, encontrará más en la sección de recursos exclusivos en www.powerstoriesbook.com.

¿CUÁLES PLATAFORMAS DE REDES SOCIALES?

Si esperaba que este libro le ofreciera un directorio integral completo de las plataformas de redes sociales, con instrucciones de cómo compartir sus historias en cada uno, no es así debido a que varía el número de redes sociales que entran y salen del espacio en línea. Lo que está de moda hoy, tiende a desaparecer el próximo mes, y no tarda mucho para que una red social favorita surja. En cambio, voy a sugerir unos ejemplos prácticos de cómo compartir sus historias en unas pocas plataformas clave, como Twitter, Facebook, Pinterest, LinkedIn, blogs e Instagram. Aplique los mismos principios sin importar cuál red aparezca y se convierta en la próxima gran moda.

Ejemplo 1: Sydney Writers' Centre

Historia del cliente	El estudiante John Smith, de Sydney Writers' Centre, obtiene una publicación después de completar nuestros cursos.
Blog	Escriba una publicación entrevistando al ex alumno John Smith acerca de cómo pasó de su vieja carrera como un arquitecto a su nueva profesión como escritor de tiempo completo. Resalte los cursos que ha tomado y las etapas que tuvo que tomar para lograrlo. Incluya cual fue su inspiración para su última serie de ciencia ficción.
Twitter	"Felicitaciones a nuestro estudiante John Smith por lograr un negocio para publicar 3 libros de su serie de ciencia ficción de fantasía" (adicione un enlace para el blog mencionado arriba).
Facebook	(Suba una foto de la carátula del libro) "Observe el último libro de ciencia ficción de fantasía de nuestro alumno John Smith. ¿Lo ha leído? ¿Cuál es su opinión?".

Ejemplo 2: Firma de Contaduría

Historia de negocios	Usted es un contador especializado en el rápido crecimiento de las pequeñas y medianas empresas que se benefician de la planificación fiscal integral.
Blog	Escriba una publicación en el blog hablando de cómo las empresas pueden acceder a un crédito para financiar el crecimiento elevado cuando el banco les ha dado la espalda.
Twitter	Escriba alertas para recordarle a la gente los plazos claves para pagar impuestos.
LinkedIn	En su estado de LinkedIn comparta enlaces para artículos útiles, o recursos que hablen de empresas de rápido crecimiento o de reducción de impuestos.

Ejemplo 3: Máquinas para café ABC

Historia de producto	Las nuevas máquinas ABC para preparar café a un precio justo y vienen en una variedad de colores de moda.
Pinterest	Suba imágenes de las máquinas de café ABC en diferentes cocinas para que los clientes potenciales aprecien qué tan estilizadas se ven instaladas.

Blog	Escriba publicaciones regulares acerca de los granjeros en Perú de quienes se obtiene este café mediante comercio justo. Sería interesante hablar cada mes del perfil de un granjero y su historia acerca de cómo ha sido capaz de levantar a su familia y sacarla de la pobreza.
YouTube	Suba videos de cómo usar la máquina.

Por supuesto estos ejemplos no son exhaustivos. Existen incontables maneras de compartir su historia. La clave está en no enredarse con este ejercicio. Si pasa media hora elaborando su tweet, no está usando su tiempo con sabiduría, no necesita meditar cada palabra. Cuando se trata de pequeñas actualizaciones de estado en Twitter o Facebook, recuerde que está teniendo una conversación y siga los mismos principios: sea amable, respetuoso y útil, pero no lo piense demasiado.

"¡TODO ES DEMASIADO!"

Si ha adoptado las redes sociales, entonces sabe cómo compartir sus historias usando estos canales. Pero si es nuevo en las redes, la tarea le parecerá abrumadora. Créame, usar las redes sociales es una de las actividades más simples de dominar. Cualquiera está en la capacidad de hacerlo, solo necesita empezar.

El trabajo duro es identificar y definir las historias poderosas correctas que debe narrar para hacer crecer su empresa. Con optimismo, usted ya debe haber aprendido cómo hacer esto para armar siete de sus historias poderosas. ¡El trabajo fácil es compartir esas historias! La mayor parte de este puede hacerse con un click o un golpecito en su aparato móvil.

Estas son las dos excusas para la falta de acción que escucho más a menudo:

◊ No tengo tiempo.

◊ Soy una persona privada. No deseo compartir mi vida en línea.

Así que vamos a hacer frente a estas dos excusas, una por una.

"¡NO TENGO TIEMPO!"

Está bien, entonces no comparta sus historias ni experimente lo poderoso que resulta hacerlo. ¿Bien? Continuemos entonces.

No, la verdad es que en realidad usted no necesita entrar a las redes sociales. Si odia Facebook, no quiere pasar tiempo en Twitter y escasamente revisa su cuenta en LinkedIn, está bien. Aun así, utiliza sus historias poderosas pero está limitando el número de personas que accederán a ellas. Y si confía en los métodos tradicionales para compartir su historia, mediante creación de redes, folletos, posters y demás, debe entender que estos métodos representan una parte cada vez menor del pastel de mercadeo. Así que mientras su historia alcanza a unas personas, habrá muchas más que no alcanzará si decide ignorar los canales en línea y las redes sociales.

Hace poco una mujer se me acercó en un evento en donde estaba hablando acerca de las redes sociales. Ella dijo que fue difícil encontrar el tiempo para mantener sus cuentas de redes sociales. Entiendo que esto a veces es desafiante, así que le aconsejé: "Para empezar, asigne 10 minutos en la mañana, 10 minutos a la hora de almuerzo y 10 minutos al final del día. Si aún eso es demasiado, hágalo solo dos veces al día".

"Yo sé, yo sé, eso es lo que todo el mundo me dice. Pero tengo una hija pequeña", dijo, como si eso lo explicara todo. Quiero con esto señalar que existen 200 millones de usuarios de Twitter y 900 millones de usuarios de Facebook en el mundo. Y estoy bastante segura de que una buena parte de ellos tiene hijas. ¡Vamos! ¡Algunos tienen dos! Algunos hasta tienen hijos que creo que demandan aún más tiempo.

"¿Puede permitirse el lujo de subcontratar?", le pregunté.

"Oh no, acabo de empezar mi negocio. Ni siquiera estoy produciendo dinero".

"Bueno... si no lo hace usted... ¿quién más va a hacerlo?".

Para aquellos que dicen que viven tan ocupados, sé que es difícil encontrar el tiempo para compartir sus historias en las redes sociales, pero eso equivaldría a decir que tampoco tienen tiempo para hacer la contabilidad, ni nada de publicidad, ni para atender a los clientes. Esta es una operación clave en su negocio que simplemente no puede ser ignorada.

Así que ¿quién va a compartir sus historias en las redes sociales? Las probabilidades son: usted, un miembro de su equipo o una agencia.

Usted

Si usted está arrancando y no tiene empleados o presupuesto, entonces le toca a usted. No piense que necesita estudiar cada plataforma de los medios que existe en el planeta antes de lanzarse a hacerlo, es casi gratis. Observe lo que todo el mundo está haciendo durante un par de semanas, antes de empezar.

¿A cuales redes debe inscribirse? Las tres más grandes son Twitter, Facebook y LinkedIn. Por lo menos inscríbase en esas. Por supuesto, existen muchas otras, pero no sienta que necesita abrir una cuenta con todas, si hasta ahora está empezando. Es mejor primero concentrarse en las que sabe que en la actualidad tienen el mayor tráfico, y luego explore las demás.

Un miembro del equipo

Si usted tiene un miembro del equipo que entiende de redes sociales, querrá darle la responsabilidad a él. No subestime la importancia de esto delegándosela al practicante o al mochilero transitorio. Usted necesita un profesional que entienda su marca, sea comprometido con el servicio al cliente y que en el mejor de los casos, ¡sepa escribir!

La agencia

Hay pros y contras de externalizar a una agencia. En el centro de este debate está el asunto de la autenticidad.

Después de todo, si su empresa está publicitando en Twitter y en Facebook, algunas personas dirán que debería ser usted (o alguien de su equipo) quien haga esta labor, no otra organización. A medida que las transacciones en las redes sociales aumentan, sin embargo, el número de empresas que contratan agencias está haciendo lo mismo.

Si usted sigue esta ruta, entonces la clave es asegurarse que la agencia que usted elige tenga un buen conocimiento de:

◊ Su marca y los productos que usted ofrece.

◊ Cómo manejar cualquier tema de servicio al cliente (¿a quién deben remitir esta información dentro de su organización?)

◊ Quién tiene la información de las redes sociales tales como detalles de los seguidores, información demográfica e indicadores. (Pista: ¡ese sería usted!)

"Soy una persona reservada. No comparto mi vida en la red"

La clave es recordar que usted está en control. Usted decide qué desea compartir en línea y qué no. Si no desea compartirlo, no lo haga.

Muy a menudo, me encuentro con propietarios de empresas, quienes no han hecho una incursión en las redes sociales ya que piensan que es una invasión de su privacidad. O creen que para tener éxito tienen que desnudar su alma, con todos los esqueletos de su armario y tweets sobre cada acontecimiento de su vida. Hace poco dirigí un taller para un grupo de personas entusiasmadas por construir su perfil en línea. Sus preocupaciones tenían un tema recurrente:

◊ "No quiero publicar fotos de mis hijos". *Entonces no lo haga.*

◊ "No quiero bloguear acerca de mi divorcio". *Está bien, guárdelo para sí mismo.*

◊ "¿Por qué tengo que poner todo ahí?". *¿Quién dijo que tenía que hacerlo?*

No existen normas en el libro guía de las redes sociales que digan que usted debe desnudarse, simplemente debe ser autentico. Mientras algunos deciden vivir su vida en la red y se sienten por completo cómodos revelando detalles íntimos de su vida sexual, estado mental y relaciones rotas, eso no significa que usted debe ser uno de ellos.

Existe una diferencia entre revelar detalles acerca de lo que debería mantenerse como "personal" y revelar detalles acerca de su "personalidad". Está bien para los primeros permanecer fuera de los límites, pero es vital para los segundos, revelarla.

Supongamos que usted es un asesor de reclutamiento. Si solo comparte hojas blancas acerca del paquete salarial o envía tweets acerca de los empleos que está tratando de llenar, entonces tendrá una base limitada de seguidores. Es probable que sean sus competidores y que lo estén siguiendo para vigilar lo que usted está haciendo. Es como construir cualquier relación en la vida real, la gente necesita conocerlo antes de empezar a confiar en usted, y eso significa que ellos deben encontrar una forma de conectarse con usted como persona.

VIVIENDO EN UN ESPACIO PÚBLICO

Julien Smith se dio a conocer primero como comentarista y futurista de la tecnología y las redes sociales, escribiendo junto con Chris Brogan el libro reconocido como uno de los más vendido, llamado *Trust Agents*. Lo primero que llama la atención sobre él es su voz, no es de sorprenderse saber que Julien ha sido un actor de voz profesional y locutor de radio. Él habla a una milla por hora con una intensidad que es extrañamente hipnotizante. Pienso que podría escucharlo leer durante un buen rato sin cansarme.

Con la red, que se convierte cada vez más en un mercado saturado, Julien se ha enfocado en su trabajo y en cómo sobresalir y crear un perfil, mientras también hace lo necesario para convertirse en una mejor persona. Esta perspectiva única le ha hecho ganar seguidores como de culto.

Conocí a Julien, quien está establecido en Montreal, tres meses después de la publicación de *The Flinch*, su libro de estilo manifiesto acerca de la transformación de uno mismo para convertirse en una persona más resistente física y sicológicamente. El libro ha sido descargado 100.000 veces (fue publicado apenas como un libro electrónico como parte del proyecto innovador de Seth Godin conocido como *The Domino Project* en www.thedominoproject.com y para cuando usted lea este libro, el numero será mayor, mucho mayor).

Mientras converso con Julien, nuestra conversación es interrumpida por los gritos de una mujer, en sus 40, sentada en el lado opuesto de nosotros. Ella se dio cuenta de quién se trataba, y claramente ella era una de sus seguidoras.

"Tú eres la razón por la que grito todas las mañanas", dijo ella emocionada.

"Cuando me ducho", terminó diciendo a manera de explicación.

En *The Flinch*, Julien les asigna "tareas" a sus lectores para ayudarlos a tener resistencia al cambio y hacer que el miedo se vaya. Una de ellas es tomar una ducha fría, realmente fría, todos los días durante una semana.

La mujer (a quien llamaremos Margie) ha descubierto a Julien en la red. Ella nunca lo había visto hablar en la vida real, nunca lo había conocido hasta ese momento, pero lee sus libros y su blog religiosamente. Margie siguió el consejo poco convencional de Julien porque confía en él. Y esa confianza puede construirse porque Julien escribe sus ideas, experiencia y vida en la red. Pero cuando uno lee el blog de Julien en www.inoveryourhead.net o lo busca por Google, no va a encontrar secretos personales oscuros, él no publica miles de fotos de su familia y amigos. Él solo permite acceso a una parte de su vida.

"Usted necesita exponerse a sí mismo", dice Julien. "Entre más escondido permanezca, es más difícil para las personas llegar a conocerlo o a tener empatía con usted. Pero entre más visible esté, será más fácil para la gente relacionarse con el trabajo que usted realiza. Yo diría que la mejor vida en el mundo moderno es a través de un espacio público en donde usted tiene la habilidad de conectarse con las personas de una forma fácil. Usted hace evidente lo que le importa, y luego tiene la habilidad de capturar y continuar conversaciones al respecto, ya sea a través de blog o de cualquier plataforma que decida usar".

Si aún se resiste a la idea de compartir su historia en línea, o de *"flinching"*, como diría Julien, considere lo siguiente: imagínese resistir los beneficios de viajar en avión. Claro, usted puede rechazar la idea de volverse a subir a un avión. Y siempre existen opciones alternativas para ir de A a B, como carro, barco, caballo, carroza... Pero si usted se resiste, le tomará muchísimo más llegar a su destino. Y, una vez, lo haga, su competencia ya habrá hecho presencia en el mercado. Hasta pueden estar dominándolo.

Como cualquier cosa en el mundo, la forma en que hacemos negocios debe evolucionar, en particular en lo relacionado con la red social. Julien lo compara con una forja o un horno en donde los metales son fundidos para crear herramientas. "Un negocio debe evolucionar con el fin de soportar nuevos tipos de presión". Es la presión del nuevo ambiente de negocios, y cualquier empresa que no sea capaz de soportarla, es, de hecho, frágil. La forma en que lidia con eso evidencia de qué material usted está hecho, y su negocio puede ser transformado o destruido en el proceso.

"Se necesita convertirse en una clase de animal diferente al que solía ser, con el fin de sobrevivir. Hubo una razón por la cual el enorme mamut lanudo evolucionó hasta convertirse en un pequeño elefante con todos esos rasgos diferentes. El ambiente cambió, así que el animal tuvo que evolucionar. Cada especie debe cambiar con el tiempo, con el fin de adaptarse a un nuevo ambiente, o desaparecerá. Una empresa debe hacer lo mismo, y también los individuos, si están tratando de desarrollar una marca personal".

Le guste o no, usted está en la forja. Y la forma en que se hacen negocios hoy en día, la forma en que se hacen las conexiones y en que las historias se comparten, es muy diferente, comparada con cinco años atrás. Así que, debe elegir entre permanecer adherido a lo que siempre ha hecho y quedarse atrás, y adaptarse al nuevo mundo.

Sus acciones

Compartir historias

Imagínese saber que se va a ofrecer una cena a la que usted no está invitado. La gente está hablando de usted, pero usted no tiene ni idea de qué están diciendo. El primer paso en su estrategia es unirse a la celebración para participar en la conversación. El siguiente paso es organizar la cena. He aquí cómo:

◊ Si aún no se ha inscrito por lo menos en Twitter, Facebook o LinedIn, hágalo ahora. Podrá inscribirse en otras plataformas sociales más adelante.

◊ Aceche y aprenda. Simplemente observe las interacciones a su alrededor y escuche lo que la gente habla.

◊ Si no es nuevo en las redes sociales, seleccione una plataforma y enfóquese en ella. Si usted se divulga a sí mismo escasamente, no va a explotar el valor real de ninguna de ellas.

◊ No tenga miedo de experimentar, siempre y cuando sea amable, respetuoso y generoso compartiendo su consejo e información.

◊ Comparta sus historias a través de enlaces hacia su blog, enlaces a las publicaciones de otros, subiendo videos a YouTube, conectándose con clientes, etc. Y recuerde inyectarles personalidad a sus actualizaciones.

11

¿Cuál es su historia?

Cuando Louise se sentó frente a su computador, estaba a un click de distancia de cambiar su vida para siempre. En casa, en su pequeño pueblo rural en Quebec, Canadá, a cargo de dos hijos, estaba tratando de ganarse la vida. Solo dos palabras. Mirando fijamente a la pantalla, ella no sabía que esas dos palabras tendrían tanto impacto. Pero allí estaban parpadeando ante ella de nuevo:

James Chartrand

265

Ese fue el día en que Louise optó por usar un seudónimo y su vida nunca fue la misma otra vez.

Transcurría el año 2006 y Louise era relativamente nueva en el mundo de la escritura independiente. Viviendo en un pueblo que depende en gran parte del turismo de verano, cuando llega el invierno ella no recibe ningún ingreso. "No tenía ninguna opción de trabajo a la vista", dijo ella, "y el dinero se estaba acabando". Basándose en su hobbie de escritura de ficción, ella empezó a encontrar pequeños trabajos de escritura en línea, algunos pagaban solo $2 dólares por artículo, no por palabra, *por artículo*. Este trabajo es para máquinas de contenido.

Si no está familiarizado con la forma en que trabajan las máquinas de contenido, se trata de empresarios que por lo general utilizan un gran número de trabajadores independientes de bajo costo para generar artículos en diferentes temas, los cuales se utilizan para llenar sitios que están diseñados para atraer tantos visitantes como sea posible y ganar dinero por publicidad. La expectativa de calidad en ese trabajo está lejos de ser tan alta como en un sitio de noticias principal, con escritos de periodistas. Aun hoy en día es común encontrar máquinas de contenido que pagan tan poco como $1 a $10 dólares por artículo.

"No existe mucho respeto entre los escritores a ese nivel", afirma ella. "Tampoco hay muchos hombres haciendo ese tipo de escritura en ese medio. Es una industria dominada por las mujeres porque el horario es flexible y trabajan desde casa, lo cual facilita las cosas para mujeres con hijos. Yo no tenía experiencia en nada y cuando usted es nuevo en esto, no conoce nada mejor. Así que uno escribe artículos sobre cualquier tema, desde infecciones causadas por levaduras y casas de muñecas hasta cómo hacer mantequilla de maní".

Muy simple, Louise hizo lo que debía para mantener a su familia. Y con otro par de opciones, ella sobrevivió. Tratando de salir adelante, Louise intentó expandir su pequeño negocio de escritura contratando a otros escritores independientes como ella. Puso un aviso en línea, y ahí fue cuando notó algo.

"En seguida descubrí que cuando se es mujer y se está negociando con otros escritores que son mujeres a ese nivel en la industria, en donde el pago es bajo, hay mucha malicia en el asunto. El medio es muy competitivo y la gente es muy repugnante. Muchas novatas no siempre tienen habilidades para los negocios ni experiencia para manejar una relación profesional".

"También entendí que la mayoría de personas que estaban contratándome eran hombres. Así que decidí realizar un experimento: usar un seudónimo, James Chartrand. Ahí fue cuando todo cambió".

Hasta esa época ella había respondido a avisos buscando escritores independientes bajo su nombre real. Esta vez ella utilizó su seudónimo. "La diferencia en la respuesta fue sustancial, muy sustancial. Las personas que aplicaron bajo el nombre de James fueron mucho más respetuosas que las que respondieron al nombre de Louise".

Durante unos pocos meses ella tuvo dos sitios web, uno para Louise y otro para James, y empezó a aplicar para trabajos de escritura como Louise y luego aplicaba al mismo trabajo como James.

"Para entonces, estaba especializada en redacción de textos publicitarios de sitios web, lo cual es mucho mejor remunerado que las máquinas de contenido", dijo ella. "Los clientes estaban dispuestos a pagarle mucho mejor a James. Cuando un cliente pensaba que yo era una mujer, regateaba, quería negociar conmigo y dejaba en claro que yo era una mujer, que trabaja desde casa, con los niños colgando de mis piernas. Cuando apliqué a trabajo bajo mi seudónimo James Chartrand, la diferencia fue fenomenal.

Los clientes realmente admiraba que James trabajara desde la casa y había un nivel de respeto mucho más alto, ni intentaban negociar mi precio, escuchaban mi retroalimentación y actuaban de acuerdo a esta. Mientras que cuando presentaba mis ideas como mujer, ellos a menudo cuestionaban mi opinión o me agradecían amablemente, pero ignoraban mis sugerencias".

Utilizando solo el correo electrónico para comunicarse con los clientes, James nunca tuvo que revelar el hecho de que él era una ella. No pasó mucho tiempo antes de que Louise decidiera dejar de escribir bajo su nombre real, se olvidó de ese sitio web y continuó nada más como James. "Decidí que no valía la pena continuar con la percepción femenina", dijo ella. "En ese momento tenía una sola meta, la cual era ganarme un ingreso para alimentar a mis hijos y salir adelante. Quería una vida en la que se me tratara como a una persona, en donde nadie cuestionara mis precios ni tratara de regatear".

Como James Chartrand, ella empezó a bloguear acerca de la escritura y saltó a la fama cuando su blog ganó un lugar entre los "10 mejores blogs para escritores", realizado por Michael Stelzner en el año 2007. "Obtuve mucho tráfico por eso", afirma ella. "No esperaba ser popular. No esperaba ser reconocida. Además estaba algo atrapada debido a que en ese momento no podía simplemente decir, 'Realmente, no soy yo'. Al mismo tiempo pensé: 'Esto está funcionando muy bien, entonces ¿por qué no seguir así?'".

A partir de ese momento, James comenzó a promocionarse en línea, contribuyendo en otros blogs de alto perfil, incluyendo el famoso Copyblogger de Brian Clark. Hoy en día su propio blog www.menwithpens.ca, tiene más de 40.000 lectores, una cifra que continúa en aumento. Para el año 2008 ella no necesitó buscar trabajo nunca más, le estaba llegando a su puerta. "Desde el año 2009, la demanda era mucho mayor de lo que yo podía soportar", afirma ella.

En algún momento de su vida como madre soltera, ella intentó obtener un ingreso modesto para criar a sus dos hijos, y cambió su vida, cambiando su historia, o por lo menos le cambio el nombre al personaje principal, y a la cantidad de presunciones que vienen con él.

No es el primer caso. Escritoras de todo el mundo han hecho esto por varias razones. Miles Franklin, autor del clásico australiano *My Brilliant Career*, era Stella Franklin. Incluso la autora de Harry Potter, J.K. Rowling, cuyo nombre real es Joanne, fue inducida por los publicistas para usar las iniciales de su nombre porque temían que la audiencia objetivo de chicos jóvenes no quisiera leer un libro escrito por una mujer.

El negocio de James Chartrand retumbó. Su recorrido constituye el verdadero viaje del empresario, debido a que, como hemos visto, aun después de ganar un premio aparecen más duras pruebas al acecho en la esquina. "Es muy estresante porque en el fondo de mi mente siempre pensaba: '¿Qué pasa si esto se acaba?'". Cada vez que un cliente pedía hablar con ella por teléfono, ella encontraba excusas para mantener la relación estrictamente por correo. "Les digo que es mejor mantener un registro escrito de nuestro trabajo".

Pero los desafíos también provienen de cuarteles inesperados. Aunque James nunca apareció en una fotografía en la red, "él" había cosechado su cuota romántica de atención. Las lectoras coqueteaban con James a través del correo electrónico y algunas dieron un paso más. Una clienta en particular se convirtió en amiga. "Intercambiábamos correos de ida y venida. En un punto ella reveló que estaba teniendo sentimientos hacia mí. Le dije: 'Bueno, ¿sabes qué? Mejor hablemos acerca de esto por teléfono'. Cuando se dio cuenta que se trataba de una mujer, ella quedo aplastada".

"Estuvo furiosa por un tiempo, pero después me envió un correo para decir que a pesar de estar aún muy molesta por lo sucedido, el hecho de haber tenido esos pensamientos y soñar con ellos, le reveló que ella tenía un gran problema en su relación. Desde ese momento decidió dejar a su esposo, llevándose a sus dos hijos con ella. Y empezó de nuevo. Me agradeció por sacudir su mundo de esa manera".

Sin embargo, todo esto llevó a James a un punto. Justo cuando James estaba viajando sobre una ola de éxito, alguien amenazó con acabar con todo. "Tuve una amiga que había trabajado conmigo durante varios años haciendo algunos diseños de páginas web. En el año 2009 tuvimos una pelea. Ella estaba un poco amargada, y yo la entendía. Es una situación emocional difícil cuando las cosas no van bien. Y ella comenzó a contarle a la gente.

Mi primera reacción fue contactarla y decirle: 'Por favor, detente'. Pero ella había decidido no hacerlo. Así que pensé, 'Estas son mis acciones, las consecuencias con las que debo vivir, así que no me voy a sentar y dejar que otra persona tome el control de los que suceda en mi vida. Esta era mi historia para contar'.

Decidí que quería agarrar el micrófono más grande que pudiera encontrar y hacerlo estallar fuera del agua. Quería hacer una clara ruptura absoluta y una explosión y salir de allí con todo terminado. James se rebeló a sí misma en el blog de Brian Clark *CopyBlogger*, bajo un post llamado 'James Chartrand usa ropa interior femenina'.

La noticia se difundió como un incendio forestal por la red y James dio entrevistas en radio y televisión durante tres semanas. También atrajo los ataques de las feministas, quienes dudaron de su historia o sentían que se trataba de una campaña publicitaria. Otros se sintieron traicionados. También hubo otros que la hicieron a un lado, diciendo que debió pelear más duro como mujer en lugar de jugar el juego bajo un nombre masculino.

Pero James nunca pensó ser una activista o campeona para mujeres escritoras. "Y la mayoría de la gente", afirma ella, "fue de apoyo, muchos entendieron el rechazo de género que ella enfrentó, tal vez porque lo estaban enfren-

271

tando ellos mismos. "No valía la pena pelear por eso, ni quejarse, o enfurecerse. No era algo emocional o personal, era de negocios. Estoy aquí para mantener a mi familia. De una forma funcionó, de la otra, no".

James rápidamente señala que ella no creó a una persona. "Crear una persona significa que usted se imagina a una persona con una personalidad que usted no tiene, como un actor", afirma ella. "Nunca adopte una personalidad porque siempre fui yo misma. Simplemente fue un nombre y la asociación de género lo que llevó a la gente a pensar que era diferente. La persona nunca fue diferente a quién soy".

Desde esa revelación, James aclara que "James Chartrand" es su seudónimo, publicando su nombre real y fotografía en su sitio. Su negocio sigue creciendo. Ella dirige un sitio web exitoso de redacción y diseño y dicta un curso de escritura diseñado específicamente para propietarios de empresas. (Para más información, visite la sección de recursos exclusivos de www.powerstoriesbook.com).

Al final, James eligió vivir la historia que le funcionó a ella. Como autora de su propia historia, decidió ser una exitosa redactora que se ganó el seguimiento del mundo entero y solía usar nombre de hombre, en lugar de ser una madre soltera luchadora trabajando para ganarse la vida.

¿Cuál es su historia?

Esta es la octava y final historia poderosa que usted debe tener en su arsenal, la historia que maneja su vida.

No quiero decir, sus memorias o autobiografía. No se trata de una línea que use en su argumento de ventas o publique en su página web. De hecho, es una historia que usted quizás jamás le cuente a alguien. Y hasta puede ser la historia más importante de todas.

Usted es el personaje principal de su propia historia. ¿Se ha visto a sí mismo como un héroe, líder o estrella de rock? ¿Es usted la madre agotada, la víctima o el escritor encontrando el éxito bajo un seudónimo? ¿O es el tipo que está tratando de mantener a su familia así odie ir a trabajar? Como James, usted es el autor de su propia historia. Así que, si no es feliz con la forma en que se ve, depende de usted reescribirla.

Usted pensará que es más fácil decirlo que hacerlo. Al fin de cuentas, si usted es el tipo que mantiene a su familia, ni sus hijos ni la hipoteca van a desaparecer rápidamente. Usted está atrapado en una situación laboral que no le gusta pero ese fue el trato que usted aceptó, es lo que piensa, y no tiene sentido intentar vestirse y lucir como alguien más.

Si usted es el propietario de un negocio, ¿está construyendo una empresa exitosa a pesar del ambiente de dificultades económicas? ¿O se ha endurecido porque el gobierno lo ha aporreado con altos impuestos y sus astutos competidores han debilitado sus precios?

La realidad es que las palabras que decida emplear, aun en la historia que solo está en su cabeza, tendrán un poder sin medida. La historia que usted se narra acerca de su vida tendrá un impacto profundo sobre sus acciones, felicidad y éxito.

Cuando se está en los negocios, es muy fácil ser atrapado en la rutina diaria de la vida. Hay problemas por solucionar, clientes para atender, fuegos para apagar, impuestos para pagar, y todo lo demás. Es como una caminadora que nunca se detiene. Pero si usted se obliga a parar y observa la vida que está llevando, pregúntese: "¿Es esta la historia que esperaba estar contando acerca de mi vida? ¿Es esto lo que realmente deseaba?".

Para algunas personas, la respuesta es un rotundo "¡Sí!". Otros negarán con su cabeza y se preguntarán cómo terminaron en una vida que no es para nada lo que esperaban, cuando en el fondo hubieran querido algo extraordinario. Este momento de reflexión, el cual literalmente puede durar un momento o semanas o meses, a menudo deja un profundo entendimiento de que hay quienes han permitido que alguien o algo escriba su historia. Han vivido bajo las expectativas de sus padres, han sido golpeados para adaptarse a las cambiantes necesidades de su familia, o se han mantenido frenados por la inercia de sus amigos poco ambiciosos. Incluso podrían vivir en una rutina y, gracias a esta inercia, su historia no ha cambiado en años. Se han atascado en la misma página.

En Sydney Writers' Centre, uno de nuestros cursos más populares es "Escritura Viva". Una parte integral de ese curso es escribir acerca de la realidad de su vida en toda su gloria, dolor, color y oscuridad. A menudo esta es la primera vez que las personas se han tomado el tiempo para evaluar la historia que han estado viviendo, y muchos están desconcertados de entender que viven influenciados por las expectativas de los demás para su vida. La buena noticia es que han entendido que tienen todo para recuperar la autoría de su propia vida. Entienden que pueden controlar esa narrativa y que necesitan vivir su propia historia.

¿Cuál es la historia que usted quiere vivir? ¿Y qué necesita cambiar para que esto suceda? Cuando resuelva estos interrogantes, dedíquese a soñar que hará realidad sus anhelos algún día. Sucederá tan solo si usted cree que la historia es verdadera y si comienza a tomar pequeños pasos para convertirla en realidad. Recuerde, usted es el autor, es su elección si quiere verse como un héroe, exitoso o fracasada víctima. Si desea cambiar su vida, debe cambiar su historia.

Historias para empresarios

Peter Shallard es un siquiatra radicado en Nueva York cuyos clientes son empresarios ocupados. Eso suena como la voz de apertura de una película de Woody Allen. Sin embargo, cuando hablé con Peter en el Distrito de Meatpacking en Chelsea, no había intelectuales neuróticos en las aceras cercanas. De hecho, aunque Peter se encuentra por completo arraigado a la vida de Nueva York, este terapeuta nacido en Nueva Zelanda realizó primero su práctica en Sídney.

En la actualidad la lista de sus clientes es más mundial que nunca. Va desde aquellos de los imperios multimillonarios con miles de empleados, hasta propietarios de empresas con apenas un puñado de colaboradores. Y Peter ha cambiado la tradición de la sesión de terapia psiquiátrica en la que el paciente se recuesta con su cabeza en un diván. Gracias a la facilidad del teléfono, correo y los convertidores de zonas horarias, él realiza consultas con clientes de todo el mundo.

Peter primero trabajó en terapia clínica ayudando a la gente en temas tales como ansiedad, depresión y adicciones, pero desde el 2006, él se ha especializado en el trabajo con clientes empresariales y se describe a sí mismo como "el loquero de los empresarios".

Peter está convencido de que los empresarios deben elegir las historias correctas. En la misma manera que la música les da vida a los atletas antes de la competencia, las historias correctas también inspiran, enseñan y motivan.

"Si usted se encuentra en una posición de liderazgo en donde dirige a un equipo de 1.000 personas, necesita conocer historias militares acerca de grandes generales. Encontrará historias tácticas acerca de líderes que inspiraron lealtad y motivaron ejércitos a seguirlos en batalla", dice Peter. "Nuestra mente inconsciente responde al aprendizaje metafórico y se aferra a conceptos de una manera que nunca podríamos lograr de manera consciente.

Es la misma idea de que la calidad de un novelista es verdaderamente determinada por la calidad de su biblioteca. La calidad de un empresario está determinada por la calidad de su experiencia, y eso incluye lo que han aprendido acerca de las experiencias de otras personas de negocios. Es por eso que nos agrada leer libros de negocios y biografías de empresarios exitosos.

No es solo a través de libros, también se trata del empresario que se pone al día con su tío magnate para comer una vez a la semana y escucha sus historias de negocios. Esa persona va a tener esta riqueza y profundidad en su inteligencia en torno a cómo tomar decisiones, cómo comunicarse y cómo ser exitoso como empresario".

Peter sugiere que también vale la pena imitar y compartir historias acerca de la persona que le gustaría ser. La versión que está un paso arriba de lo que es usted ahora. "Transmita la versión del usted que usted desea ser", dice Peter, "porque en poco tiempo, se convertirá en esa versión. Todo el mundo es consciente del espacio que tienen para mejorar en su vida. Todos nos decimos a nosotros mismos estas historias acerca de quién nos gustaría llegar a ser".

Si usted comparte su vida en la red para construir su marca personal, es vital ser estratégico al respecto. Bienvenido al mundo del mercadeo de personalidad. Algunos empresarios rechazan ser el centro de atención, odian Facebook, no entienden los blogs y no logran entender por qué tanta gente saca su teléfono inteligente para "entrar" o toman fotos de su comida tan pronto esta llega. Si ese es usted, siga adelante. Esta parte no es para usted. Lea el capítulo 10 y luego regrese aquí.

Si desea construir su marca en línea, recuerde que puede editar la historia que decida compartir en la red. Ya sea un tweet bien elaborado, una foto estratégicamente elegida o un registro en una avenida de moda, usted puede quitar la parte mundana y presentar la versión reluciente de su vida.

Usted no está inventando un nuevo personaje ficticio. Simplemente debe ser usted mismo. O mejor, la versión radiante y mejorada de usted. En otras palabras, defina de qué se trata su marca personal, qué quiere que hable la gente de usted cuando usted no está presente. Si desea ser un mentor de negocios que viaja alrededor del mundo, trabaja desde cualquier lugar y asiste a eventos agradables, entonces estas son las historias que debe compartir.

Usted debe compartir:

◊ Fotos suyas en Facebook en donde aparezca hablando en un seminario de alto perfil.

◊ Una publicación en el blog acerca de cómo continuar dirigiendo su empresa a pesar de estar sentado al lado de la piscina en las Maldivas.

◊ Tweets desde la cabina del avión con conexión wifi en un vuelo de Virgin desde Nueva York hasta Los Ángeles.

No debe compartir:

◊ La mayor ganga de cereales que encontró en Costco.

◊ Cómo estuvo en casa esperando al plomero para que arreglara algo atascado en la tubería.

◊ Un Tweet acerca de lo malhumorado que está por encontrarse atrapado en el tráfico.

Esos tres últimos ejemplos pueden ser ciertos, pero ¿debe compartirlos como parte de su historia? Sé que es importante ser original, pero recuerde que como autor de su propia historia, es posible editar.

Ningún autor escupe todo lo que tiene en su cerebro para permitir que el mundo elija los puntos de interés. Bueno, ningún buen autor. Cada buena historia pasa a través de un proceso de edición. Es aquí en donde el mensaje es perfeccionado, las oraciones son ajustadas y se le da forma a la trama. Eso es lo que usted debe hacer con su historia.

Peter ha experimentado esto en su propia vida. Como un cibernauta ágil, él tiene un blog popular en www.petershallard.com y es activo en las redes sociales. "Cuando empecé a bloguear en el 2009, entendí que es una actividad muy pública. Lo que usted pone en línea es para que todo el mundo lo vea. No bloqueo acerca del trabajo de mi cliente porque eso es completamente confidencial, pero bloqueo acerca de mí mismo. Empecé a hacerlo acerca de los aspectos de mí mismo en donde me sentía seguro y exitoso". Mejor dicho, la persona que Peter es hoy, es probablemente la versión de la que él bloqueo hace 6 meses.

"No sólo crea que usted puede ser su próxima versión, sino que además, cuando usted consigue un seguimiento de personas que se sumerjen en su narrativa —que le gusta seguir lo que usted lo hace—, usted se siente inspirado a salir y hacer las más grandes y mejores hazañas. El hecho de que usted sabe que otras personas están siguiendo su historia, lo motiva a hacer más, a llegar a ser más. "

Pero incluso si usted no desea narrar historias acerca de su vida, Peter señala que aun así, usted lo está haciendo. "Todos narramos historias todo el tiempo. Estamos en

Facebook escribiendo estados. Y sin no estamos en Facebook, se las estamos diciendo a nuestros hijos y compañeros. Cuando le preguntan: '¿Qué hiciste en el trabajo hoy amor?', la respuesta es un montón de narrativa. La única diferencia entre la persona que está teniendo la conversación con su esposa al final del día, y alguien que está narrando sus historias en un blog u otro medio, es la audiencia y la plataforma. Usted puede elegir la historia que desea narrar".

Para aquellos que cuestionan la legitimidad de narrar la historia de la siguiente versión de usted mismo, Peter responde simplemente así: "Preguntar si hacerlo así es o no auténtico, es como preguntar si no es auténtico tener aspiraciones. Además, cuando usted narra historias de aspiración, historias acerca de sus metas y de cómo quiere alcanzarlas, usted sabe que la gente está siguiendo su historia. Y para la mayoría de personas, en especial para los empresarios, ese hecho los motiva aún más".

Si usted no le da forma activa a su historia y al personaje que desea ser, entonces otra persona lo hará basado en los fragmentos de información o chisme o rumores que encuentren sobre usted. Dependiendo de dónde obtengan la información, de los medios, de las puertas del colegio, de tweets al azar, etc., ellos crearán su propia percepción de usted, sea o no verdadera.

Así que a menos que usted cree su historia como un héroe, o como un empresario exitoso o un padre amoroso o un propietario de empresa sin lugar fijo, entonces los demás lo ubicaran en el papel que ellos ven. Eso puede ser algo que va desde un propietario de empresa sobresaturado hasta una momia del futbol agradable pero no tan lista o una bruja de primera clase. ¿Por qué permitir que los demás creen una versión de usted, cuando su versión de usted mismo es mucho mejor?

Hemos visto que el poder de las historias que narramos sirve para persuadir a otros a que compren, para llevarlos a la acción o inspirarlos para cambiar el mundo. Las historias correctas también contribuyen a construir su perfil y hacer crecer su negocio. Pero sin lugar a dudas, la historia poderosa más importante de todas es aquella que usted se narra a sí mismo. Esa es su brújula, el marco de trabajo en el cual basa sus decisiones y marca una vía hacia el futuro.

Usted es el autor y tiene el control completo de lo que está a punto de revelar. Cualesquiera que sean los desafíos que se presenten en su camino, está en capacidad absoluta de definir cómo superarlos y ser héroe o víctima. Solo usted modelará el siguiente capítulo de su poderoso viaje.

SUS ACCIONES

SU HISTORIA

Esta historia poderosa le dará forma al resto de su vida. Así que saque tiempo para elaborarla ahora. Pero recuerde que no será escrita sobre piedra, que puede editarla, reestructurar los capítulos y hasta cambiar los personajes, si lo desea, porque usted es el autor.

Pero debe empezar, o su historia se llenara de polvo, y no será una vida que disfrutó.

Siga los pasos a continuación o descargue la plantilla de su historia en la sección de recursos exclusivos en www.powerstoriesbook.com

◊ Imagínese una "nueva y mejorada" versión de sí mismo. Ese es usted cuando se siente seguro, feliz y exitoso. Para algunos, su éxito se reflejará en la cantidad de dinero que usted gane. Para otros, será por estar seguro de su apariencia y presentación. Mientras que otros lo medirán por sus relaciones y el alto nivel de oportunidades para hacer contactos interesantes. El punto es que todo el mundo es diferente. Defina lo que funciona para usted.

◊ Escriba cómo se ve esta imagen mejorada. Por ejemplo, si desea un mayor nivel de contactos en las redes y está dispuesto a mezclarse con personas más exitosas, escriba a quién le gustaría tener en su círculo. Si desea estar más seguro en su presentación, escriba cómo se ve a sí mismo actualmente. Trate de identificar 10 puntos diferentes y sea tan específico como pueda al describir la siguiente versión de usted.

◊ Escoja cualquiera de estos 3 puntos. Actúe como si estuviera viviendo su historia. En algunos casos, será fácil. Otros pasaran por diferentes etapas antes de lograrlo, pero defina cuáles son esas etapas y asúmalas.

◊ Si se siente cómodo haciéndolo, comparta su historia con otras personas. No debe hacerlo, pero si lo hace, le ayudará en su rendición de cuentas y se sentirá motivado a la acción.

CONCLUSIÓN

Ahora hemos llegado al final de nuestra historia juntos. Conoce las 8 historias poderosas que necesita saber narrar para construir una empresa épica. Así que no lea este libro para luego olvidarlo sobre su repisa. Es tiempo de poner en acción todas estas ideas.

Este libro ofrece un modelo que le ayudará a hacer crecer su empresa, construir su perfil y salir adelante. Descargue las plantillas, siga las instrucciones, imite los ejemplos, conecte los puntos con historias de su propia vida y de su negocio.

Si todavía se está preguntando si estas historias poderosas en realidad le ayudarán a hacer crecer su negocio, bueno, solo hay una forma de saberlo. Puede usarlas y descubrir qué tan efectivas son. O puede ignorarlas y seguir haciendo o que siempre ha hecho. Estas historias poderosas son tan efectivas porque cuando usted las elabora de la forma correcta, son fáciles de recordar y compartir. Y ahí es donde empieza a sacarles provecho, cuando otras personas las narran por usted.

Sé que usted es un empresario ocupado, pero aprender a contar estas 8 historias poderosas no le tomará todo el tiempo que cree, debido a que la mayoría de ellas ya existen y son parte de su amplia experiencia, están grabadas en su psiquis. En muchos casos, ya hasta las ha narrado antes, pero para usarlas eficazmente, debe tomarse el tiempo para identificarlas y articularlas. No desea unir unas cuantas oraciones y esperar transmitir su mensaje. Usted desea historias bien diseñadas y compactadas. Usted desea historias con las que la gente se sienta relacionada, historias que los demás van a compartir, historias que construyan su negocio, que conviertan las ventas en una legión de aficionados incondicionales.

Recuerde, si desea construir una empresa épica, necesita una historia épica. Y eso empieza aquí.

¿Cuál es su historia?